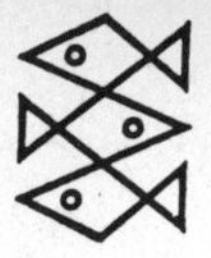

Über dieses Buch Sie heißt Ruth Maria von Kadell, und ein Familienschlößchen im Bayerischen nebst Nerzmantel, Familienschmuck und Lodenkostüm könnten ihr die unangenehmsten Seiten des Lebens vom Leibe halten. Doch Maria, so um die dreißig, hat sich eigensinnig einen knallharten Männerjob in einer knallharten Stadt ausgesucht: Sie ist Privatdetektivin in Frankfurt.

Hier ein Ehebruch, dort ein Ehebruch hält sie so gerade über Wasser, doch dann passiert es, eines Montags: Sie wird Zeugin eines Mordversuchs per Auto. Das Opfer ist eine blonde Antiquitätenhändlerin namens Irene Schleswig. Maria läßt sich von der undurchsichtigen Geschäftsfrau engagieren und geht, begleitet von einer englischen Bulldogge und einem sensiblen Verlagslektor, couragiert einer Fährte nach, die immer wieder in die Irre führt. Von einem privaten Familiendrama gerät sie in die heiße Szene des Kunstschmuggels, in der mit harten Bandagen gekämpft wird. Maria bekommt ein paar Schrammen ab, verliebt sich und kriegt die Sache schließlich in den Griff.

Die Autorin Viola Schatten wurde 1953 in Bonn geboren. Sie studierte Philosophie und Psychologie in München und Paris. 1981 heiratete sie einen Frankfurter Politiker. Seit 1987 lebt sie in einem Sanatorium in der Schweiz. Viola Schatten ist ein Pseudonym.

Viola Schatten
Schweinereien passieren montags

Kriminalroman

Fischer Taschenbuch Verlag

Abt Meier, der Rothaut
aus Bern gewidmet

Originalausgabe
Veröffentlicht im Fischer Taschenbuch Verlag GmbH,
Frankfurt am Main, Mai 1990

Umschlaggestaltung: Manfred Walch, Frankfurt
Umschlagabbildung: LOH Productions
Gesamtherstellung: Clausen & Bosse, Leck
Printed in Germany
ISBN 3-596-10282-0

Schweinereien passieren montags.
Frankfurt, 14. Mai, gegen 16 Uhr. Myliusstraße im Westend: Die Sonne blinzelte unentschlossen, im Radio schmetterte Edith Piaf, daß sie nichts zu bereuen habe, und ich wünschte mir, dasselbe behaupten zu können. Der rote Fiat Uno, etwa hundert Meter vor mir, dessen grellbunter Aufkleber meine gedankenverlorenen Blicke auf sich zog, tat urplötzlich einen kräftigen Ruck nach rechts. Die Reifen quietschten, als er rasant beidrehte und mit eindeutig verbotenem Tempo davonbrauste. Er bog in die Friedrichstraße ein und ward nicht mehr gesehen.

Vom Straßenrand erhob sich unsicher eine Blondine. Ich schätzte sie auf Mitte vierzig. Ihre elegante und offensichtlich teure Verpackung war stellenweise gerissen, ihr ehemals gut frisiertes Haar wurde langsam von einer stark blutenden Platzwunde an der Stirn verklebt. Zwei Meter von ihr entfernt lag ihr linker Schuh auf der Straße, ein pflaumenblauer Wildlederpumps. Ihre Handtasche hatte sich geöffnet, und Portemonnaie, Taschenspiegel, Schlüsselbund und Lippenstift lagen im Straßenstaub.

Ich stieg aus und gab der Blondine ein Taschentuch, das sie sich auf die Wunde pressen sollte, um das Blut zu stillen.

»Brauchen Sie einen Arzt?« fragte ich, obwohl ich nicht den Eindruck hatte.

Sie schüttelte schweigend den Kopf und versuchte, noch immer am ganzen Leibe zitternd, ihre Utensilien von der Straße aufzulesen. Ich machte mich wortlos daran, ihr zu helfen. Als wir den Kram beisammen hatten und sie wieder halbwegs sicher in ihren Pumps zu stehen schien, fragte ich sie, wie das passiert sei.

Jetzt sah sie mich zum ersten Mal an.

»Ich weiß es nicht«, sagte sie leise. Sie war noch immer so bleich wie ihre Kette aus Elfenbein.

»Der hat Sie doch angefahren! – Was ist mit der Platzwunde am Kopf? Lassen Sie mich mal nachsehen.«

Sie drehte mir unwillig die rechte Schläfe zu. Die Schürfung war nur oberflächlich, und das Blut verkrustete schon an den Rändern.

»Das sieht ganz gut aus. Soll ich nicht trotzdem einen Arzt rufen? Oder die Polizei?«

Sie schüttelte den Kopf. Ihre Passivität reizte mich, aber ich schob diese Teilnahmslosigkeit auf den Schock.

»An Ihrer Stelle würde ich Anzeige erstatten«, sagte ich ungefragt und mittlerweile ungeduldig. Prinzessinnen machen mich nervös, und schlafende erst recht. »Ich kann den Hergang bezeugen, außerdem handelt es sich auch noch um Fahrerflucht!«

»Ach, lassen Sie mich doch in Frieden!« Das klang unfreundlich und müde und gab mir schließlich den Rest. Wenn sie die Sache partout nicht verfolgen wollte, ging es mich ja nichts an. Ich gab ihr meine Karte für den Fall, daß sie es sich noch anders überlegen würde. Edith Piaf sang sich noch immer die Seele aus dem Leib. Und ich fuhr langsam nach Hause.

Mein Name ist Ruth Maria von Kadell. Ich bin Privatdetektivin, sehe aber nicht so aus. Der Trenchcoat, den mir meine Freunde Udo und Susanne vor gut einem Jahr zur Eröffnung meines Büros geschenkt haben, hängt noch immer am selben Haken und beeindruckt lediglich meine Klienten. Es sind nicht viele. Ich schlage mich so durch, und wenn sich in den nächsten vier Jahren nichts Wesentliches ändert, hänge ich meinen Mut neben den Trenchcoat und schließe das Büro. Aber fünf Jahre, das bestätigt selbst mein Bruder Frieder, der dem Unterfangen ansonsten skeptisch gegenübersteht, muß man einem jungen Unternehmen geben. Eine Frauenzulage berücksichtigt er da nicht, obwohl das bei meiner Profession eher angebracht ist als Quotierungen bei Apothekerinnen, die es sicher bald geben wird. Detektive sind Männer, in fast allen Romanen... und ich habe eine Menge gelesen.

Mit solch trüben Gedanken fuhr ich in meine WG. Im Büro weiter Radio zu hören, hatte schließlich keinen Zweck. Wenn wirklich jemand etwas wollte, konnte er ja auf den Anrufbeantworter sprechen – übrigens eine Anschaffung, die sich bisher kaum gelohnt hatte. Ich machte die Tür auf und sah auf die Uhr: Mittlerweile war es sechs, dieser merkwürdige Unfall hatte mich aufgehalten. Neben der Wohnungstür baumelte die lange Leine von Jekyll, meiner englischen Bulldogge, und klackte mit ihren Eisenteilen vorwurfsvoll gegen die Wand. Es war dringend Zeit, den Hund bei Richard wieder abzuholen; das nahm ich mir für morgen vor.

Im Flur schlug mir ein wohlbekannter Nasi-Goreng-Duft entgegen, neben dem Herd gähnte mich die liegengebliebene bedruckte Pappe an. Udo hatte wohl gestern abend noch seine Lieblingspackung eingeschoben, als ich schon schlief. (Er ist Lektor in einem Frankfurter Verlag, und die Geschäftsleitung scheint vorauszusetzen, daß die Ehre seiner Tätigkeit dort Überstunden einschließt.) Ich machte mir einen Campari mit Eis. Als Jako die Kühlschranktür schlagen hörte, rief er: »Vitamine, Energie – enttäuschen deinen Körper nie!« Was für eine Sammlung mißglückter Werbesprüche dieses Lebewesen ist, dachte ich und schrie zärtlich zurück: »Halt den Schnabel, ich komme gleich zu dir!«

Neben dem Telefon lag ein Zettel: »Bitte Alex in Berlin anrufen!« Alex ist mein jüngerer Bruder, allgemein das Berliner Bärchen genannt. Offensichtlich war er aus seinem Winterschlaf erwacht. Er studiert Entwicklungssoziologie seit so langer Zeit, daß Frieder und ich uns Fragen nach seiner Zukunft abgewöhnt haben; jeder von uns darf sein Erbe verschleudern, wie er es für richtig hält.

Frieder, mittlerweile fünfunddreißig, hat sich vermutlich für die gewinnträchtigste Art entschieden – er ist Immobilienmakler in Frankfurt. Niemand, den ich kenne, hat irgendeinen privaten Vorteil davon, denn Frieder vermittelt nur Häuser und teure Eigentumswohnungen. Aber wenigstens für ihn entwickelt sich die Sache vorteilhaft. Unser Adel auf dem blankpolierten Firmenschild und die Verbindungen unserer Familie sind in diesem Geschäft vernünftig angelegt; außerdem sieht Frieder gut aus. Zum Start meiner Selbständigkeit hat er mir einen Wunsch freigegeben, und ich habe mich für die Garantie entschieden, seinen metallicbraunen Rover jederzeit ausleihen zu dürfen, wenn's denn der Wahrheitsfindung dient. Bisher hat sich die Notwendigkeit noch nicht ergeben, aber ich setze fest darauf, daß ich irgendwann einmal die *grande dame* spielen muß, und dafür ist ein Rover genau das Richtige. Vor allem meine Vorliebe für Rollenspiele hat mich zu diesem Beruf gebracht, neben der intensiven Lektüre einschlägiger Romane. Und unser Familienschlößchen im Bayerischen ist noch voll von nutzbarem Plunder: zwar nicht gerade Federboas, aber Nerzmantel, Familienschmuck und Lodenkostüm.

Ich schlenderte mit meinem Glas in der Hand ins Badezimmer und ließ heißes Wasser in die Wanne laufen. Dann begrüßte ich Jako, der im Gästezimmer herrisch auf der Stange paradierte. Jako ist ein in die Jahre gekommener Graupapagei, der mir von einer alleinlebenden Tante vererbt wurde. Damals hatte ich nicht das Herz, dieses Erbe auszuschlagen, und inzwischen habe ich mich an diese besserwisserische, rotschwänzige Bestie gewöhnt. Leider habe ich auf die Füllung seines gelehrigen Gehirns kaum noch Einfluß nehmen können; in seinen Jugendjahren hatte er offenbar die Prägephasen vor dem Fernseher verbracht, vermutlich gemeinsam mit meiner Tante. So kräht er heute fröhlich Weisheiten vergangener Zeiten wie »Keiner wäscht reiner!« Er setzte sich auf meine Schulter, knabberte vorsichtig an meinem Ohrring und fing leise an zu gurren. Ich entfernte die Kette von seinem Fuß und ging in mein Zimmer, um das Berliner Bärchen anzurufen, plötzlich voller Sehnsucht nach seinen klugen Witzen. Ich ließ es lange läuten und spürte meine Stimmung dabei immer weiter sinken. Es gibt kaum etwas Deprimierenderes, als diesen elektronischen Signalen ergebnislos zu lauschen. Also legte ich mich in die Wanne und schloß die Augen. Bei Trübsinn hilft ein heißes Schaumbad am besten. Schließlich war dieses Büro meine Idee, und ich habe noch vier Jahre Zeit, die Fahne abzuhängen. Berufliche Erfahrungen habe ich in einer großen Detektei in Stuttgart gemacht, zwei Jahre lang die Beobachtung von Ehefrauen, Ehemännern, hin und und wieder Personenschutz – und wieder Ehefrauen, Ehemänner... Das macht natürlich einen großen Teil des Geschäftes aus, vor allem in Stuttgart: halb so groß wie der Friedhof von Chicago, aber sicherlich doppelt so tot. Trotzdem verstärkte sich mein Eindruck, daß die wirklich interessanten Fälle auf anderen Schreibtischen landeten – und immer landen würden. Mein »Ausbilder«, der alte Hase Peter Busch, gab mir darin sogar recht: »Du bist nicht unbegabt, Mariechen«, sagte er und wiegte den weichen Eierkopf, »aber hier wird es lange dauern, bis du es beweisen kannst.«

Das gab schließlich den Ausschlag. Mit einer Art »Ausbildungsbestätigung« und vielfachem Männergrinsen im Rücken verließ ich die »Internationale Detektei« und zog zurück nach Frankfurt: Erstens ist hier ein wirklich aufregendes Pflaster und theoretisch eine Menge zu tun, und zweitens kenne ich mich aus. Die Kenntnis der Infrastruktur einer Stadt ist nicht zu unterschätzen; ich habe hier zehn Semester studiert und kenne Gott und die Welt. Als ich im Examen stand, verunglückten meine Eltern tödlich, bei einem völlig idiotischen Autounfall. Ich hatte es trotzdem irgendwie fertiggebracht, einen Abschluß zu machen, aber nicht mehr die geringste Lust, als Psychologin in der Drogenberatung zu arbeiten oder als Philosophin um eine Assistentinnenstelle zu drängeln. Und viel mehr bot sich nicht an. Vielleicht hatte meine Ruhelosigkeit den Entschluß begründet, mich bei der Detektei zu bewerben. Ein Berufsbild gibt es ja ohnehin nicht, psychologische Kenntnisse können nicht schaden, und von den Kriminalromanen habe ich beim Vorstellungsgespräch wohlweislich geschwiegen. Daß ich seit meinem siebten Lebensjahr Judo und später Jiu-Jitsu machte, gab vielleicht den Ausschlag – und daß ich Mezzosopran im Bach-Chor singe, ging die Herren ja nichts an ... die hätten wohl gejodelt vor Vergnügen, allein bei der Vorstellung.

Jetzt war das Wasser endgültig kalt.

Dienstag. Ich machte mir gerade meinen ersten Kaffee im Büro, als es kurz und heftig klingelte. Um neun Uhr früh wird das wohl der Briefträger sein, dachte ich, betätigte den Türdrücker und ließ die Tür angelehnt. »Kommen Sie nur rein, Herr Hoffmann«, rief ich und ging zurück in die Küche. Als es klopfte, drehte ich mich um. Vor mir stand die Unfallblondine.

»Guten Morgen«, sagte ich, »brauchen Sie doch eine Zeugin?«

Das war vielleicht ein bißchen unvermittelt, aber ich hatte die Dame nicht in bester Erinnerung. Neun Uhr morgens ist außerdem nicht meine beste Zeit.

»Sie sind doch Privatdetektivin?« fragte die Dame. »Ich habe einen Auftrag für Sie.«

Ich schnappte ein bißchen nach Luft. Ein Auftrag ... Na schön, dann konnte es ja losgehen. »Möchten Sie einen Kaffee? – Ich mache ohnehin einen.«

»Gern«, sagte sie.

Ich führte sie in mein Büro und plazierte sie auf der Beichtcouch, einem Jugendstilsofa. Wie sich herausstellen sollte, hat es sich nicht bewährt. Doch zunächst tranken wir Kaffee.

»Ich heiße Irene Schleswig«, begann meine Klientin. »Ich habe ein Antiquitätengeschäft in der Innenstadt, und als wir uns gestern begegnet sind, war ich auf dem Nachhauseweg. Ich hatte gerade mein Auto geparkt – ich wohne in der Myliusstraße –, als mich dieser Wagen anfuhr. Und ich bin überzeugt davon, daß es Absicht war. Ich weiß, daß es Absicht war – aber ich weiß nicht, wessen.«

Sie sprach klar und gemessen, das machte mich ein bißchen stutzig. Schließlich ist es ja keine Kleinigkeit, mit Absicht beinahe überfahren zu werden. Andererseits machte die Dame nicht den Eindruck eines Opfers.

Sie war mittelgroß, gepflegt und sah nach Geld aus. So sehr, daß sie sich Understatement leisten konnte – wenig Schmuck, klassische Kleidung aus besten Stoffen, schlichter Haarschnitt vom besten Coiffeur – man kennt den Typ. Man meint immer, ihn schon mal irgendwo gesehen zu haben, und das war dann mit Sicherheit nicht dieselbe, sondern eine andere Vertreterin dieser Gattung, eine weitere Mittvierzigerin mit gut blondiertem Pagenkopf, khakifarbenem Seidenkostüm und zehntausend Mark um den Hals gehängt. Und irgendeine leichte Zigarettenmarke in der teuren Handtasche.

Sie enttäuschte mich nicht und steckte sich eine an. Mein Schweigen irritierte sie ein bißchen und das war gut so. Abwarten muß man schon können, sonst vermittelt man den Eindruck, man wolle den Auftrag unbedingt. Und dies gilt es unbedingt zu vermeiden, wenn man den Auftrag unbedingt will.

»Ich möchte«, sagte sie dann auch folgerichtig, »daß Sie herausfinden, wer mich angefahren hat. Ich kann Ihnen einige Anhaltspunkte liefern, will aber der Sache aus verschiedenen Gründen nicht selbst nachgehen. Wollen Sie den Auftrag übernehmen?«

Es schien typisch für sie, daß sie nicht fragte, »ob ich ihr helfen könne«, was wohl jede andere Frau in ihrer Situation gemacht hätte. Vielleicht hatte sie meine Karte als Wink des Schicksals verstanden, sonst hätte sie sich sicher an eine der großen Detekteien gewandt. Vielleicht gab es aber auch spezielle Gründe für sie, eine Frau für den Auftrag zu gewinnen. In jedem Fall sah sie so aus, als wäre ihr das Honorar ziemlich gleichgültig. Und so etwas ist keine schlechte Chance.

Sehr langsam griff ich nun nach meinen Zigaretten. Ich rauche morgens normalerweise nicht, aber gegen das Parfüm ihrer Dekostangen mußte ich anstinken, sonst würde mir schlecht werden.

»Ich möchte Ihnen zunächst meine Arbeitsbedingungen nennen«, sagte ich, »dann können Sie entscheiden, ob Sie mir mehr erzählen wollen. Ich bekomme ein Grundhonorar von zweitausendfünfhundert Mark, das mit dem Tagessatz von fünfhundert verrechnet wird; Spesen nach Notwendigkeit. Ein Erfolgshonorar verlange ich nicht, und Sie können meine Arbeit täglich kündigen. Für die Dauer unserer Vereinbarung werde ich mich ausschließlich Ihrem Problem widmen, dafür erwarte ich von Ihnen, daß Sie mir alles berichten, was für den Fall von Bedeutung sein könnte.«

»Einverstanden«, sagte sie kühl, »ich schlage vor, daß ich Ihnen alles erzähle, was von Wichtigkeit sein könnte, Ihre Verschwiegenheit selbstverständlich vorausgesetzt. Ich nehme an, daß Sie dann erst entscheiden, ob Sie die Sache übernehmen wollen.«

»Genau«, sagte ich. Irgendwie verblüffte Irene Schleswig mich. Diese Präliminarien sind zwar immer dieselben, aber sie wickelte die ganze Chose ab, als hätte sie dieselben

Krimis gelesen wie ich – oder sich gründlich auf diesen Besuch vorbereitet. Sie war mir nicht sympathisch, aber ihre Gefaßtheit hatte etwas für sich, wenn man ansonsten viel Zeit damit verbringen mußte, verweinten Ehefrauen Papiertaschentücher hinzuhalten und wirre Berichte erahnter Verfehlungen auf einen Stand zu bringen, mit dem man arbeiten konnte. Für Irene Schleswig werde ich keine Taschentücher brauchen, dachte ich.

»Ich werde seit einiger Zeit bedroht«, sagte sie. »Ich bekomme Anrufe, meist am Nachmittag, und eine Männerstimme beschimpft mich, ziemlich unflätig. Dann folgen unklare Warnungen, ich solle gut auf mich aufpassen. Aber auch das würde mir nicht viel helfen... Ich habe diese Anrufe nicht besonders wichtig genommen; ich lebe allein, und es passiert schließlich des öfteren, daß irgendein Verrückter das Telefonbuch durchgeht und wahllos Frauen bedroht...«

»Aber das sind in der Regel sexuelle Belästigungen«, warf ich ein. »Soweit ich Sie verstanden habe, haben die Anrufe aber eine andere Bedeutung?«

Sie steckte sich eine zweite Zigarette an, und es drehte mir den leeren Magen um.

»Damit hat es tatsächlich nichts zu tun«, sagte sie. »Es sind ganz einfach Drohungen, gewalttätige Drohungen.«

»Sie haben nicht zufällig eine Tonbandaufzeichnung von einem dieser Anrufe?« wollte ich wissen.

»Einmal sprach er auf meinen Anrufbeantworter, aber das ist längst wieder gelöscht. Ich habe damals nicht daran gedacht, daß es irgendwann einmal von Nutzen sein würde.«

»Wann erhalten Sie die Anrufe? Gibt es irgendwelche Zeiten, die typisch sind?«

»Bisher meist nachmittags, wie ich schon sagte, ganz selten mal abends.«

»Sonst nicht?«

»Nein, vielleicht hat es der Anrufer aber auch schon zu anderen Zeiten versucht – ich bin morgens meistens in meinem Geschäft und abends oft weg. Nachmittags bin ich unterwegs bei Kunden oder zu Hause.«

»Ich meine, er ruft Sie nie bei der Arbeit an?«

»Stimmt, das hat er bisher noch nie getan.«

»Und die Wochentage?«

»Wie...«

»Gibt es Tage, an denen er noch nie angerufen hat –, immer dieselben Wochentage? Oder an anderen dafür immer?«

»Also, das ist schon etwas viel verlangt...«, die Schleswig hatte wieder ein bißchen Empörung um den Mund gelegt. Ich kam ihr zuvor:

»Hätte ja sein können. Es gibt eben Menschen, die können sich das merken, und andere eben nicht. Wie oft die Woche?«

»Es sind ein paar Anrufe die Woche, nicht regelmäßig. Einige vielleicht aus der Telefonzelle, manchmal gibt es wiederum überhaupt keine Geräuschkulisse.«

»Welche Art Geschäft betreiben Sie? Pelze?«

»Antiquitäten«, sie schaute mich schnippisch an, »das sagte ich Ihnen doch schon.«

»O ja, entschuldigen Sie...«

Sie unterbrach mich: »Damit hat es aber auf keinen Fall etwas zu tun.«

»Und Ihre Mitarbeiter? Haben die Ihnen noch nie etwas von unklaren Anrufen erzählt? Vielleicht, daß einfach aufgelegt wurde, wenn Sie nicht selbst am Telefon waren? Wie viele Leute arbeiten bei Ihnen?«

»Da war nie etwas. Mit dem Laden hat es ganz sicher nichts zu tun.« Das NICHTS sagte Irene Schleswig so akzentuiert, daß es mir in den Ohren klingelte. Ich wechselte schnell das Thema. Antiquitäten – dachte ich –, da will keiner einen genauen Blick riskieren.

»Wie viele Anrufe waren es bisher?« fragte ich schnell.

Sie sah mich unschlüssig an. »Das weiß ich wirklich nicht. Vielleicht zwanzig oder dreißig.«

»Haben Sie nie daran gedacht, zur Polizei zu gehen?« fragte ich. So etwas ist eine heikle Frage, weil, so absurd es klingt, manche potentiellen Klienten erst dadurch auf den Gedanken kommen, die Polizei könnte sich auch mit ihrem Problem beschäftigen – und zwar kostenlos –, und aufstehen und verschwinden. Aber es hätte mich überrascht, wenn diese Dame nicht einen Grund gehabt hätte, zu mir zu kommen. Und so war es dann auch. Die Henne legte endlich ihr Ei.

»Der Fall ist etwas pikant«, sagte sie zögernd und klopfte leise mit ihrem Ring, einem ziemlich großen, sehr reinen Rubin, gegen ihren Armreif. Elfenbein, sicher eine Antiquität. »Ich habe eine Vermutung... womit die Anrufe zusammenhängen könnten. Ich glaube... es handelt sich um eine Verwechslung...« Sie ließ das Wort langsam ausklingen, als dächte sie darüber nach, wie sie weiterreden sollte.

Ich half ihr ein bißchen: »Sie sind also nicht sicher, ob Sie persönlich gemeint sind?«

»Darum geht es eben. Ich kann eigentlich gar nicht gemeint sein.« Sie schaute mir jetzt direkt in die Augen. »Es muß eine Verwechslung sein. Der Anrufer kennt natürlich meine Telefonnummer, meinen Namen und wohl auch meine Adresse, und insofern meint er mich, das ist klar. Aber es gibt da eine Geschichte, auf die sich dieser Anrufer beziehen könnte, die mit mir nicht eigentlich etwas zu tun hat. Jedenfalls fällt mir nichts anderes ein, wodurch ich irgend jemandem Anlaß zu Drohungen gegeben haben könnte.«

Wenn das nur kein Kuckucksei wird, dachte ich und sagte aufmunternd: »Na, dann schießen Sie mal los!«

»Ich bin recht gut befreundet mit einem ziemlich hohen

Würdenträger der evangelischen Kirche, einem Prälaten, der hier in Frankfurt arbeitet. – Verstehen Sie etwas von der Kirchenhierarchie?« unterbrach sie sich.

Ich schüttelte ziemlich entschieden den Kopf. »Überhaupt nichts«, sagte ich und dachte: Hoffentlich muß ich da nicht groß einsteigen...

»Dann kann ich auf Einzelheiten verzichten«, sagte Irene Schleswig denn auch zu meiner Erleichterung. »Es geht eigentlich nur darum, daß dieser Mann in gewissen Kreisen einflußreich ist und zugleich stark im Licht der Öffentlichkeit steht, das heißt, sein Lebenswandel muß untadelig sein. Verstehen Sie, was ich meine?«

»Durchaus«, gab ich zur Antwort, und dachte: Du hältst mich wohl für ziemlich blöd... und bekam den Beweis sogleich geliefert:

»Nicht, was Sie jetzt meinen. Ich nicht. Dieser Freund«, fuhr Irene Schleswig fort, »steht mir auf eine bestimmte, eher unpersönliche Art nahe. Er war der beste Freund meines verstorbenen Mannes, und er hat für meinen Mann sehr viel getan. Ich selbst kenne ihn nicht sehr gut und weiß nicht viel mehr über ihn, als mein Mann mir früher erzählt hat; wir begegnen uns hin und wieder bei gesellschaftlichen Anlässen oder auch bei privaten Einladungen. Bei einer solchen Gelegenheit hat er mich um einen ungewöhnlichen Gefallen gebeten. Er ist verheiratet und hat, glaube ich, zwei Kinder. Vor einigen Monaten verliebte er sich heftig in eine verheiratete Frau. Eine Scheidung ist für beide Teile nicht möglich, andererseits ist es für beide auch unmöglich, sich in der Öffentlichkeit zu treffen. Das würde sofort Anlaß zu Gerede geben. Es gibt allerdings auch Bedürfnisse, die eine gewisse Abgeschiedenheit verlangen – und aus besagten Gründen können die beiden keinesfalls in ein Hotel gehen. Ich habe eine sehr schöne, große Wohnung... Sie verstehen, worauf ich hinaus will?«

»Sie haben den beiden zu gewissen Zeiten Ihre Wohnung zur Verfügung gestellt«, sagte ich.

»Ich bin anfangs davor zurückgeschreckt. Schließlich ist meine Wohnung kein Freudenhaus, außerdem kenne ich die Dame nicht. Auf der anderen Seite hatte ich das Gefühl, diesem Mann einiges schuldig zu sein – er hat meinem Mann mehrfach selbstlos geholfen. Außerdem bin ich nicht prüde. Kurz und gut, dieser Mann hat einen Schlüssel zu meiner Wohnung, und auf Verabredung, meist nachmittags, bin ich dort für einige Stunden nicht aufgetaucht.«

»Hat er Ihnen Geld für die Benutzung der Wohnung gegeben?«

Ich wußte, daß sie diese Frage unverschämt finden würde, aber ihre Beantwortung konnte wichtig sein. Im übrigen läßt sich mit solchen Zumutungen auch testen, ob der Klient eine Zusammenarbeit wirklich will.

Irene Schleswig sah mich strafend an. Einen Moment lang dachte ich, sie würde ihre Tasche nehmen und gehen; sie versteinerte förmlich unter dieser Verletzung ihrer Würde. »Natürlich nicht«, sagte sie schließlich. Sie hatte den Brocken also geschluckt – ein gutes Zeichen.

»Ich habe das von Anfang an für eine vorübergehende Lösung gehalten«, sagte sie aggressiv. »Das entsprach auch unserer Vereinbarung. Es gibt schließlich auch in Frankfurt Wohnungen zu mieten, aber ich hatte Verständnis dafür, daß so eine Entscheidung nicht von heute auf morgen fällt. Vielleicht wollte er sie auch nicht unter Druck setzen. Ach, ich weiß es nicht«, schloß sie angeekelt.

»Welchen Zusammenhang sehen Sie zwischen dieser Geschichte und den Telefonanrufen?« Ich wollte sie wieder zum Thema bringen.

»Das ist doch ziemlich klar«, sagte sie sofort. »Da ich niemandem Anlaß zu solchen Drohungen gebe, müssen die Anrufe damit zu tun haben. Ich hatte nicht wirklich Angst, aber das Ganze war mir ziemlich unangenehm. Vor vier Wochen habe ich die Sache beendet, aber merkwürdigerweise hörten die Anrufe nicht auf. Und jetzt auch noch diese Attacke mit dem Auto –«

»Wo treffen die beiden sich jetzt?« fragte ich.

»Das weiß ich nicht. Ist mir auch völlig egal. Schließlich werde *ich* bedroht.«

»Haben Sie mit Ihrem Bekannten über die Anrufe gesprochen?«

»Natürlich!« Sie war beleidigt. »Er sagt, er könne sich das Ganze nicht erklären, aber mit ihm hätte es sicher nichts zu tun. Er war nicht besonders kooperativ, wahrscheinlich hat er sofort kalte Füße bekommen. Ich möchte übrigens nicht, daß Sie mit ihm selbst Kontakt aufnehmen. Sie müssen die Sache schon allein verfolgen. Vielleicht hat die Dame einen eifersüchtigen Ehemann, ich weiß es nicht.«

»Wissen Sie ihren Namen?«

»Den hat er mir nie gesagt, ich habe ihn aber auch nicht wissen wollen. Sie muß die Frau irgendeines ziemlich hohen Tieres sein. Es ist mir egal, wie Sie vorgehen, aber ich möchte, daß es unauffällig geschieht. Ich bin zwar durch diesen Mann in den Schlamassel hineingeraten, aber er kann ja nichts dafür, daß so etwas daraus geworden ist.«

Diese Haltung fand ich erstaunlich. Wenn sie echt war, nötigte sie mir Respekt ab. Und ob sie echt war, würde sich ja herausstellen.

»In Ordnung«, sagte ich, »ich übernehme den Fall. Versuchen Sie bitte, den nächsten Anruf aufzunehmen. Ist Ihnen eigentlich irgend etwas an seiner Stimme aufgefallen: spricht er Dialekt, ist er angetrunken?«

»Weder noch«, gab sie zur Antwort. Sie wirkte jetzt ziemlich erleichtert. Ich hatte meine Sache gut gemacht: Gib ihnen nie das Gefühl, daß du sie brauchst. Sie brauchen dich.

»Die Stimme wirkt irgendwie verstellt«, sagte sie. »Als würde er ein Taschentuch über den Hörer legen, oder sie sonst irgendwie verfremden. Ich will gern das nächste Gespräch aufzeichnen, aber das wird nicht besonders aufschlußreich sein. Er sagt nicht viel.«

Ich zeichnete einen Formvertrag aus und ließ sie ihre Angaben zur Person bei der zweiten Tasse Kaffe ergänzen.

»Ich kann Ihnen keinen Personenschutz geben«, sagte ich. »Passen Sie auf sich auf. Ich werde Ihre Wohnung natürlich beobachten, aber nicht rund um die Uhr. Bitte melden Sie sich bei mir, sobald Sie wieder angerufen werden oder sich bedroht fühlen. Ich rufe Sie an oder komme vorbei, wenn ich weitere Informationen brauche.«

»Rufen Sie bitte auf jeden Fall vorher an!« Ich hätt's mir denken können.

Wir standen auf, und ich ließ sie zur Tür vorgehen. Ihr Blick fiel auf meinen Trench – aber ich wußte, daß sie nicht an Humphrey Bogart dachte, sondern an den Preis für ein Burberrymuster. Und das war auch okay.

Jetzt sah sie mir voll ins Gesicht.

»Dieser Freund heißt Dr. Horst Ulrich Weldige«, sagte sie. »Er ist Leiter des Diakonischen Werkes Deutschland, Hauptsitz Frankfurt. Das Büro ist am Adenauerplatz.«

»Na prima«, sagte ich, dann ging sie.

Wir gaben uns nicht die Hand.

Wenn ich etwas ganz besonders verabscheue, dann den Geruch, den unsympathische Menschen in meiner Wohnung hinterlassen. Es war halb elf, Irene Schleswig soeben gegangen, und der Geruch ihrer parfümierten Kippen schien penetrant im Raum zu hängen. Im Ascher lagen die ausgedrückten Stummel mit roten Mundrändern am Filter. Mir schien, als könnte, trotz sperrangelweit geöffneter Fenster, nicht einmal eine ganze Packung meiner Zigaretten diesen Geruch überdecken. Außerdem verdächtigte ich noch das Parfüm der Dame als zusätzliche Belästigung, aber dies kann auch nur Einbildung gewesen sein. So gut kenne ich mich.

Ich mußte dem Tag einen neuen Impuls geben – meinen. Also erst mal rüber in den Grüneburgweg Brötchen holen, die Zeitung, Kaffee wäre auch bald aus gewesen. Es war nichts Besonderes in der Post. Bis zwölf vertrödelte ich die Zeit mit langsamem Kauen und Zeitunglesen. Mein Gott, eigentlich genügten die Schlagzeilen und die halbfetten Unterzeilen, um zu wissen, was die schrieben. Aber es läßt sich so gut dabei in Halbwachheit versinken. Danach ist die Gelassenheit allemal wiederhergestellt. Es gibt schließlich nichts Neues in der Welt.

13 Uhr. Was macht man als Schnüfflerin, wenn man gar keinen Anhaltspunkt hat? Ein paar Telefonate, die nichts bringen. Weldige war genau in der Stellung, die mir Irene Schleswig angegeben hatte. Sie selbst hatte ihr Antiquitätengeschäft am Roßmarkt, die Wohnung in der Myliusstraße. Und dazu all die anderen Kleinigkeiten, die nichts Weiteres ergaben. Also das Übliche: Beobachten. ›Observieren‹, das tun andere. Meine Aufgabe war mehr als das. Ich mußte einen Unbekannten finden, zu dem bisher keine Spur führte.

Man setzt sich also in seinen Allerweltskleinwagen und beobachtet. Wenn es miserabel läuft, kann es tagelang so gehen, ohne daß sich ein Aufhänger findet. Man sitzt dann stundenlang in den unbequemen Polstern dieses Jedermann-Autos mit möglichst geringem Luftwiderstand und wartet und zählt sich immer wieder die Vorteile dieser Kiste auf: unauffällig, paßt in jede Parklücke, wendig genug für die Stadt. Mein altes Peugeot-Kabriolett stand in einer Remise des Familienschlößchens, wo es darauf wartete, daß ich einmal genug Flöhe verdiente, um zwei Versicherungen bezahlen zu können. Es war mir zumindest ein Trost zu wissen, daß – wenn ich nach fünf Jahren doch dichtmachen müßte – ich wenigstens wieder mit diesem kleinen, charmanten Wagen meine Wege machen könnte. Den Golf hatte ich für eintausendfünfhundert Mark mit hundertzehntausend Kilometern und neuem TÜV von einer ehemaligen Kommilitonin gekauft. Sie konnte sich auch nicht im universitären Bereich unterbringen und fährt jetzt den Zweitwagen ihres vermögenden Ehemannes; war wohl ein guter Fang. Ich hatte ihr damals versprochen, daß sie sich an mich wenden könne, wenn ihr Zukünftiger über die Stränge schlüge. »Dann bringe ich dir das schönste Foto, das ich je in meinem Job gemacht habe«, versprach ich ihr: »Brillant-Hochglanz!« Neben mir auf dem Beifahrersitz lag die Nikon mit Zoom 35 × 200. Die hatte mir damals ein Verehrer zum Spottpreis verkauft. Mit seinem Fotogeschäft wäre er nie auf einen grünen Zweig gekommen, wenn er nur solche Geschäfte gemacht hätte. Den Winder gab's kostenlos dazu, fünf Bilder in der Sekunde. Mein Gott, war das schon wieder lange her. Notizblock und Stift hatte ich immerhin regulär im Schreibwarenhandel gekauft, das Diktiergerät aber meinem Makler-Bruder abgeluchst. Das Ding ist praktisch und auch beim Fahren bestens zu bedienen.

Es war jetzt 16 Uhr. Den ganzen Nachmittag saß ich nun im Auto vor dem Haus, in dem die Schleswig wohnte, und nichts tat sich. Ich hatte Autos beobachtet und Kennzeichen notiert. Der Zufall, so lautet das Gesetz, ist unermeßlich: also notieren und notieren. Irgendwann einmal konnte es sich gelohnt haben, eine Wiederholung festzustellen. Das meiste Material aber ist für den Papierkorb. Fußgänger, Männer, Frauen, Kinder und Hunde kamen vorbei, und rein gar nichts war bemerkenswert. Irene Schleswig war gleichfalls nicht zu Hause. Reinfall. Es fängt zwar fast immer so an –

Verdammt! Ich mußte ja Jeckyll noch abholen, fiel mir siedendheiß ein. Der arme Hund hatte zwei Tage lang aus unerfindlichen Gründen gezittert und gekotzt, und schließlich brachte ich ihn zu Richard, einer alten Flamme von mir. Er ist Tierarzt mit einer großen Praxis und einem noch größeren Herzen, so weich wie die Bauchfalten von Jeckyll. Als ich mit ihm in den Armen klingelte, machte Richard zuerst eine abwehrende Miene – das gehört zum Spiel. Aber dann untersuchte er ihn doch, und als ich ihm die Symptome schilderte, zog er seine schöne Stirn kraus.

»Am besten...«, sagte er gedehnt.

»...lasse ich ihn dir einfach da«, sagte ich schnell. Richard und Jeckyll kennen sich so lange und sind einander derart eng verbunden, daß ich kein schlechtes Gewissen haben mußte. Wahrscheinlich würde Jeckyll mich fett und schwanzwedelnd begrüßen, so heiter wie Hans Albers in seiner besten Zeit.

Doch als ich klingelte, erlebte ich eine böse Überraschung. Richard stand in seinem weißen Kittel vor mir und schenkte mir ein trübes Lächeln. Mich durchfuhr ein Schock. »Ist es – etwas Ernstes?« hauchte ich.

»Komm erst mal rein«, sagte er.

In der Praxis lag Jeckyll auf einer Bahre und schenkte mir einen jämmerlichen Blick. Er war bedeckt von einem blauweiß gestreiften Heizkissen und regte sich nur matt. »Dein Engländer hat eine Darmgrippe«, sagte Richard beruhigend. »Nichts Ernstes, aber schmerzhaft, mit Fieber und Durchfall verbunden – wie bei Menschen eben auch. Ich kann hier nichts mehr für ihn tun. Er braucht nur Ruhe und Wärme und ganz viel Liebe – wie Menschen eben auch.«

Er grinste, und mir fiel ein Stein vom Herzen. Ich nahm den Korb mit dem Engländer und setzte ihn neben mich auf den Beifahrersitz. Zuhause plazierte ich ihn im Flur – weit weg vom ewig plappernden Jako und nahe einer Steckdose, fürs Heizkissen.

Ein bißchen dämlich sieht er schon aus, dachte ich kritisch, als ich die Bulldogge unter dem Heizkissen fast verschwinden sah. Aber da ist nichts zu machen – was hilft, hilft. Ich schrieb einen aufklärenden Brief für Udo, hinterlegte ihn auf dem Küchentisch und machte mich schuldbewußt davon – gleich begann mein Kampftraining in der Jahn-Turnhalle, und ich durfte die Gruppe nicht versetzen. Seit ich in Frankfurt war, unterrichtete ich einmal in der Woche die Jugendlichen. Mir selbst machten die Trainingsstunden mit den Jüngeren Freude, waren sie doch unheimlich konzentriert und hatten Spaß daran, dazuzulernen. Für mein eigenes Fitbleiben blieb der Donnerstagabend mit den Liga-Kämpfern reserviert. Auf Wettkämpfe ging ich schon seit acht Jahren nicht mehr. Den schwarzen Gürtel sollten sie mir halt irgendwann einmal verleihen: Verdient hatte ich ihn längst.

Myliusstraße. Dritter Tag, seit die Schleswig beinahe unter die Räder gekommen war. Mittwoch also. Erneut hatte ich mich in einer Parklücke vor dem Jugendstilhaus plaziert. Vor allen weiteren Schritten hieß es, zu beobachten. Kopfloses Herumrennen hilft nichts. Alle anderen Personen können erst dann in Erwägung gezogen werden, wenn klar ist, daß ausdauernde Beobachtungen nichts ergeben. Das ist vielleicht die härteste Seite an diesem Job. Sie wird auch in allen Kriminalromanen und in den Spielfilmen stets verschwiegen. Sie ist schließlich die langweiligste. »Die lohnendste Tätigkeit überhaupt«, mir klingen die Worte meines Ausbilders in den Ohren nach...

Zwei Stunden stand ich schon vor dem Haus von Irene Schleswig. Schaute die Straße vor und zurück durch die Rückspiegel. Nichts tat sich, und ich dachte an alles mögliche. Immer wieder auch an meine Auftraggeberin. Heute war sie zu Hause und zog im zweiten Stock gerade den Vorhang zu. Lange hatte sie zu mir heruntergeschaut, bewegungslos und ohne Mimik. Nicht einmal ein kurzes Winken. Es war klar, daß sie mich erkannt hatte. Diese Kunden sind mir die liebsten. Ihre Vorwürfe nach ein paar Tagen, normalerweise beim zweiten Treffen, kenne ich schon: »Sie sollten doch etwas herausfinden und nicht die Zeit vertrödeln, indem Sie den ganzen Tag herumsitzen und nichts tun! Dafür bezahle ich Sie schließlich nicht!« Nein, sie vermasseln auch noch viel, indem sie einem unsichtbaren Dritten durch ihr penetrantes Fensterglotzen signalisieren, daß unten jemand auf ihrer Seite ist.

Getränkedienst. Telegrammzustellung. Blumenbote – wer schenkt dieser Ziege eigentlich einen Riesenstrauß rote Rosen? Der Bote war zumindest perfekt, zog vor der Tür noch das Papier von den Blumen und warf es in den Vorgarten. Der übliche Durchgangsverkehr, sonst nichts. Drei Autos fuhren bisher mehrmals vorbei: ein weißer Ascona mit Frankfurter Nummer, ein grauer Ford-Transit, Flaschnerei Oberberger, Sachsenhausen, ein dunkelblauer BMW 323i mit getönten Scheiben – ob es derselbe wie gestern war, konnte ich nicht mehr sagen. Alle mit mehr oder weniger Glück auf der Suche nach einem Parkplatz. Mittlerweile wurde es 16.30. Himmelfahrt, Feiertag, würde es morgen sein. Ich mußte noch Lebensmittel einkaufen, ein Geschenk für Freitagfrüh für eine Freundin; heute abend ein Fest in Udos Verlag, Hübschmachen war angesagt, die Zeit wurde knapp. Ein roter Fiat Uno mit Aufkleber rechts neben dem Frankfurter Nummernschild »I love Sylt«, so ein Quatsch!

Eine Sekunde später klingelten bei mir alle Signale. »Mariechen«, hätte mein großer Gönner und Lehrmeister Peter Busch gesagt, »dieses Auto hast du schon einmal gesehen!« Der Aufkleber war es, den ich am Montag aus der Entfernung als weißen Fleck an genau derselben Stelle des

Fluchtfahrzeugs wahrgenommen hatte. Der Motor sprang Gott sei Dank gleich an. Die Straße war frei, also hinterher mit Karacho. An der Kreuzung hatte ich ihn beinahe eingeholt. Dreißig Meter noch – und unverschämt wie immer drängte sich die Müllabfuhr dazwischen. Ein netter dunkelhäutiger, schwarzhaariger Müllmann, trotz seines Scheißjobs immer noch seinen südländischen Charme bewahrend, strahlte mich an, als er sich mitten auf der Straße postierte, den Verkehr für das orangefarbene, gefräßige Müllfaß auf Rädern frei zu machen. Ich lächelte zurück.

Das Kennzeichen des roten Uno hatte ich noch erkennen und mir merken können. Ich würde es schon ermitteln. Jetzt hieß es warten bis zur nächsten Kreuzung. Links und rechts nur Einbahnstraßen in der Gegenrichtung: Frankfurter Verhältnisse, Weltstadt ohne Durchfahrt. Ich stelle mir das so vor: Zwei Männer sitzen in einem Büro im sechsten Stock in einem grauen Haus an der Hauptwache. Sie legen fest, welche Straßen zu Einbahnstraßen werden, in welche Richtung und wie weit. Beide haben keinen Führerschein.

Zurückfahren war auch nicht möglich. Drei Autos standen schon hinter mir: Ein Baby-Benz, ein dunkelblauer BMW, ein Käfer älteren Baujahrs. Mein Lächeln spornte den kleinen Mann im Arbeitsanzug an. Er jonglierte seine Mülleimer beinahe graziös aus den Hofeinfahrten zum Lastwagen, stemmte sie mit ungeahnter Leichtigkeit in die Halterungen des Lastwagens und zog voll Clownerie den Entleerungshebel. Dabei grinste er stets breit zu mir herüber. Lachend notierte ich mir die Autonummer des Uno, während der kleine Mann einen Müllkübel zurückspringen ließ.

Zehn Minuten brauchte er bis zur nächsten Kreuzung. Man fährt weg über die Feiertage: also weniger Müll. Die Müllwerker winkten mich vorbei, der kleine Mann aus dem Süden machte eine witzige Verbeugung und warf mir noch eine Kußhand durch seinen schmutzigen Arbeitshandschuh zu. Ich winkte und fuhr weiter in mein Büro in der Leerbachstraße.

Täuschte ich mich, oder stand an der Ampel Reuterweg/ Wolfgangstraße der dunkelblaue BMW drei Autos hinter mir? Er bog ebenfalls ab, auch an der nächsten Ecke. Ich fand überraschenderweise gleich einen Parkplatz. Der BMW fuhr vorbei bis zur Pizzeria Ecke Böhmerstraße. Ich wartete noch. Ein mittelblonder, etwa einsachtzig großer Mann in Jeans und schwarzer Lederjacke verließ den Wagen und stieg nach etwa zehn Minuten mit einem Packen Mitnehm-Pizzen wieder in sein Auto. Ich war beruhigt. Die Pizzeria kann sich über Mangel an Kundschaft nicht beklagen. Die Abholer blockieren mit ihren Autos oft die Straße. Ungeduldige Hupkonzerte sind die Folge. Auch ich versorge mich dort häufig. Trotzdem notierte ich die Autonummer.

Amtspost und Kontoauszüge warf ich ungeöffnet auf den Schreibtisch. Nur die Mahnung für die Telefonrechnung legte ich für Freitag zur Zahlung bereit. Auf meinem Anrufbeantworter war lediglich eine Nachricht von Udo gespeichert. Er könne mich vor dem Empfang im Verlag nicht abholen, irgendeine äußerst wichtige Konferenz hielte ihn noch auf. Eine von den unnötigen, in denen nur geredet und alle Entscheidungen von weiteren Gesprächen abhängig gemacht würden. Er hatte mir oft genug davon erzählt. Ich fuhr nach Hause, mich umzuziehen.

Es war ein Riesenempfang im Verlag, und ich fühlte mich klein wie selten zuvor. Eine Stunde lang hatte ich vor dem Spiegel blaue Taftorgien, weiße Schwanenleibchen und graue Schlauchgewebe durchprobiert und dazu Jakos dämliche Kommentare ertragen. Mit jedem neuen Dress wuchs meine Unzufriedenheit, und schließlich holte ich mir aus der Küche ein großes Glas Rosé de Provence. Damit wurde mir die Entscheidung leichter: das ganz kleine Schwarze mit dem Schlitz vorne, dem Schlitz hinten, dem Schlitz auf der Seite... Nervös, aber ein bißchen zufriedener setzte ich mich in mein unordentliches kleines Auto, schob eine neue Kassette von Edith ein und sauste durch die Wolkenkratzercity.

Das Gedränge schob sich bis auf die Straße. Ich kämpfte mich durch eine Reihe dunkler Anzüge ans Büffet und plazierte dann mit einem Teller in der linken Hand meine ganze geschlitzte Weiblichkeit an eine postmoderne weiße Säule.

Die Treppe herunter kamen einige junge Helden der Frankfurter Bücherszene: der junge Jochen in einem dunkelroten Seidenjackett, hinter ihm sein Vater. (Bei einem längeren Gespräch mit Jochen, bei dem die akademische Emphase in mir durchbrach, und ich ihm professionell betriebene Persönlichkeitsbefreiung anriet, kam nur heraus, daß selbst die Analytiker Frankfurts Angst hatten, es sich mit dem Alten zu verderben. Da bleibt nur noch Südamerika.) Dann folgten einige Freunde von Udo, die mich zur Tanzfläche schleppen wollten, aber mein Voyeurismus war stärker, also blieb ich stehen. Der Frankfurter Kulturtragende schlechthin gesellte sich, mit schlohweißem Goethekopf und saurem Apfelwein, neben Sohn und Vater und verplauderte heitere zehn Minuten. Plötzlich schob sich ein Rittmeisterjäckchen auf mich zu, Hahnentritt in Herbstlaubfarben, darüber eine weiche Welle: der gute Michael. Auch er ein junger Recke des Gewerbes, war er ob des Erfolges früh vereinsamt und sichtlich froh, mich hier zu treffen. Er legte einen schon weinschweren Arm um meine unbedeckte Schulter und empfahl ein spezielles Büro als Separée. In meine kühle Ablehnung hinein entdeckte ich Udo, gar nicht weit entfernt von uns, im vertraulichen Gespräch mit einer dunkelblonden Schönen. Meine alte Eifersucht flammte auf, und ich entschloß mich, in seiner Nähe zu bleiben. Ich habe Udo immerhin unzählige schöne Stunden und einen Kurzbesuch in einer holländischen Klinik zu verdanken, so etwas prägt die Erinnerung und die Gefühle.

Michael holte uns Wein auf Wein, bis plötzlich auch sein langer Schatten die Szene betrat. Da stand er stramm im Hahnentritt und zischelte mir ins Ohr: »Die *Aspekte*-Kulturredaktion hätte gern ein Interview – ich verschwinde mal eben. Ich komme gleich zurück.«

»Ach was«, sagte ich laut und wußte, daß ich es mir damit ein für allemal mit ihm verderben würde. »Ab ins Scheinwerferlicht, und noch einen Kafka untern Arm geklemmt!«

Dann setzte ich mich aufatmend auf einen frei gewordenen Stuhl und harrte ruhig der Männer, die da Geselligkeit üben wollten. Ich war unruhig und getrieben und auf der Suche nach einem Abenteuer. Aber die Männer, die sich mir boten, die wollte ich nicht, also verlegte ich mich auf die vollen Flaschen.

Um eins, als die große Menge sich langsam verlief, war ich ziemlich angeheitert an der Schulter eines Tweedsakkos versunken und hatte Sehnsucht nach Udo. Die Zigaretten waren mir ausgegangen, mein Lippenstift war verblaßt, und ich dachte nur noch an mein Bett.

Endlich tauchte Udo auf.

»Darf ich vorstellen«, sagte ich mit schleppender Stimme: »Das ist Udo Manthey, Lektor dieses ehrenwerten Hauses, und das ist - das ist...«

Die Schulter sprang höflich ein und nannte einen Namen, den ich längst vergessen habe. Udo sah mich zornig an.

»Zeit zu gehen, Liebling«, sagte er und griff nach meiner

Handtasche. »Sie gestatten doch«, drohte er der Tweedschulter und nahm meine Hand.

Plötzlich standen wir draußen in der feuchten Nachtluft, und ich spürte seinen Mund an meinem Ohr. Er murmelte etwas, und wir küßten uns lange, lange, lange.

Als wir uns voneinander lösten, fragte er: »Kannst du noch fahren, Süße? Ich brauche mein Auto morgen früh, und deshalb wäre es das beste ...«

»Natürlich kann ich fahren«, sagte ich zärtlich und mit ungeahnten Kräften. »Ich bin zwar völlig berauscht – aber bis zur Wielandstraße schaffe ich es noch.«

»Ich hole mir unterwegs noch Zigaretten. Und dann komme ich zu dir.«

Ich ging beschwipst zu meinem Wagen. Ich lächelte die Sterne an und suchte das Zündschloß, drehte die Fenster herunter und sang mit Edith Piaf *La vie en Rose*, steuerte ins Nordend hinüber und bog wie üblich verkehrswidrig ab. Einmal mehr dankte ich der Vorsehung für unsere Parkplätze im Hof, die eine zermürbende Suche nach einem Loch in der Blechlawine ersparten – und einmal mehr verfluchte ich den Hausbesitzer, der trotz der horrenden Mieten einfach kein Außenlicht installieren ließ. Unsicher kurvte ich in dem engen Hof herum, bis ich meinen Standort gefunden hatte. Dann steckte ich mir eine neue Zigarette an und hörte das letzte Lied zu Ende. Die Bässe schepperten übel, die Höhen ließen aber Gläser zerspringen, dachte ich. Dann stolperte ich zum Hintereingang und kramte im Dunkeln in meiner Handtasche nach dem richtigen Schlüssel.

Ich hatte ihn gerade gefunden, als mein rechter Arm mit brutalster Gewalt blitzschnell auf meinen Rücken gebogen wurde und mir ein stechender Schmerz in die Schulter fuhr. Zugleich, noch bevor ich mich hätte wehren können, fühlte ich den Druck kalten und scharfen Metalls an meinem Hals.

Schlagartig war ich nüchtern – und konnte doch nicht

kontern. Man ist zuerst einmal völlig wehrlos in einem solchen Griff, trotz der freien Linken. In rasender Schnelle flammten Vergewaltigungsbilder in meinem Hirn auf, und ich überlegte zugleich, wie lange Udo brauchen würde, um endlich hier zu sein. Da spürte ich den heißen, biergeschwängerten Atem des Kerls in meinem Ohr.

»Für wen arbeitest du?« zischte er und verstärkte seinen Griff, so daß ich vor Schmerz aufstöhnte.

»Ich weiß nicht, was Sie meinen. Mensch, lassen Sie mich bloß los!« keuchte ich.

»Los, rede!« flüsterte der Bieratem drohend. »Ich will wissen, für wen du arbeitest!«

»Heilsarmee!« sagte ich spontan – und bereute es sofort. Der Zug am Arm ging so weit, daß ich Angst hatte, das Schultergelenk würde auskugeln. Ich stöhnte und ließ meine Handtasche fallen. Es klang weinerlich und ängstlich, und er lockerte ein bißchen den Rückengriff. Das war meine einzige Chance.

Blitzschnell griff ich nach seiner Hand mit dem Messer. Mit dem rechten Bein versetzte ich ihm einen Tritt gegen sein rechtes, durch meinen Zug nach links entlastetes Bein. Zugleich warf ich mein ganzes geringes Körpergewicht mit aller Kraft nach hinten und stieß einen kurzen brachialen Schrei aus, um der Schrecksekunde des Kerls nachzuhelfen. Wir gerieten ins Stolpern, worauf ich gehofft hatte – und gerade, als ich zu einem Wurf ansetzen wollte, ließ er mich los, und ich fiel vornüber auf Beton.

Tat weh.

Der Hof war in Licht getaucht. Ich hörte das Brummen eines Diesels, und mich durchflutete unendliche Erleichterung. Der Kerl war weg, als wäre er nie dagewesen. Und Udo sprang aus seinem Wagen, lief auf mich zu und hielt mich fest. »Maria«, flüsterte er, »Maria, was ist los?«

Wir klammerten uns aneinander, und ich brach in hysterisches Weinen aus. Trotz jahrelangen Trainings war ich noch nie in eine gewalttätige Szene geraten, und der Alkohol tat sein übriges. Udo trug mich auf seinen Armen die Treppen hinauf, und ich schluchzte und stieß abgerissene Sätze aus. Er legte mich ins Bett und griff zu dem ältesten Hausmittel: heiße Milch mit Honig. Ich erzählte ihm, was ich wußte, vom Besuch der Schleswig an alles, was vorgefallen war. Dann forderte die Nacht ihren Tribut.

Ich erwachte mit einem Kater. Er war groß und hatte lange Zähne, die sich in mein Hirn und meine Schulter schlugen. Eine seiner glatten, blinkenden Krallen legte sich an meinen Hals und glitt dort langsam auf und ab. Sein leibwarmer Pelz hielt mich fest umfangen, er roch nach Flöhen und Blut. Seine Barthaare kitzelten mich, so als machte ihm die Sache Spaß. Mir brach der Schweiß aus, ich schrie um Hilfe, ich schrie und schrie...

In der Küche lag ein Zettel von Udo: »Guten Morgen, Ricky! Wenn Du diesen Fall gelöst hast, lad ich Dich zu einer Fahrt nach Casablanca ein! Aber trink erst mal einen Kaffee, bevor Du die Mäuse zum Tanzen bringst...«

Ich schenkte mir eine Tasse ein und trank in kleinen Schlucken. Sehr bitter... wie lange stand er schon da? Ein Blick auf die Uhr zeigte mir, daß ich fast zwölf Stunden geschlafen hatte. Ruhe hatte es mir nicht gebracht, nur Panik und eine schmerzende Schulter. Ich starrte auf Udos Nachricht. Casablanca... zuzutrauen war es ihm. Udo ist ein lieber Kerl, und er verdient nicht schlecht. Ob Ricks Café wohl noch stand? Außer der Marseillaise-Keilerei konnte ich mich an keine Demontage erinnern. Die Methoden damals waren feiner gewesen, oder ich hatte die falschen Filme gesehen. Vielleicht sollte ich meine Kostüme einsammeln und zum Fernsehen wechseln, ins Vorabendprogramm.

Auf dem Weg ins Bad stolperte ich beinahe über Jekyll, der leise stöhnend in seinem Körbchen lag, das gestreifte Heizkissen neben sich. Er sah mich jammervoll an und bettelte um Hilfe, also suchte ich im Medizinschrank nach Kopfschmerztabletten für ihn und mich. Was dem Menschen hilft, kann dem Hund nicht schaden, dachte ich. Placebos halfen vielleicht auch? Aber vermutlich mehr der Herrin als dem Hund. Ich hielt seinen dicken Kopf über eine Schale Milch, schob ihm die Tablette in die Schnauze und hoffte, daß er beides bei sich behielt. Dann sprach ich ihm noch eine Weile gut zu und wartete, bis er einschlief; schließlich breitete ich vorsichtig das Heizkissen wieder über ihn. So wäre ich auch gern getröstet worden, statt dessen war ich nun allein mit meinem Kater und einem vorlauten Papagei. Oh, merde...

Nach dem Bad machte ich mir aus zwei Eiern und dem, was noch im Kühlschrank war, ein buntes Omelett. Während ich die Eier aufschlug, wuchs mein Zorn auf Irene Schleswig gewaltig, und ich hätte nicht übel Lust gehabt, auch sie einmal in die Mangel zu nehmen. Ein leichter, schmerzhafter Überfall... Eifersuchtsgeschichten verlaufen oft genug gewalttätig, die Zeitungen sind schließlich voll davon. Aber die Frage dieses Schlägers machte mich stutzig: »Für wen arbeitest du?« Das zeigte eine Verwirrung an, die bei höchstens fünf Beteiligten eher unwahrscheinlich war. Vielleicht hat es doch mit Antiquitäten zu tun, überlegte ich mit dem schmerzfreien Teil meines Hinterkopfes. Man hört immer wieder von Hehlerei und helfenden Händen, die Alterungsprozesse beschleunigen... Andererseits wäre es idiotisch von Irene Schleswig, ausgerechnet mich auf eine falsche Fährte zu setzen. Und daß sie in Not war, ging zweifelsfrei daraus hervor, daß sie eine

Dritte – mich – um Hilfe gebeten hatte... Ich konnte spekulieren, wie ich wollte – nichts führte zu einem Ergebnis. Mein Kopf, mein Arm, fast alles schmerzte. Ich löste eine zweite Tablette in Wasser auf und beschloß, meiner Auftraggeberin einen Besuch abzustatten. Einen leichten, schmerzlosen Überfall.

Ich zog mich zweimal um, bis ich mit mir zufrieden war. Irene Schleswig war mit Jeans und Lederjacke nicht zu beeindrucken, und genau darauf konnte es ankommen. Ein Seidenkostüm aus Milano und eine Designer-Phantasie auf dem Kopf, so verließ ich gegen drei Uhr das Haus. Mein Kater war immer noch groß genug, um eine Menge Mäuse zum Tanzen zu bringen.

Irene Schleswig öffnete sofort, so als hätte sie jemanden erwartet. Vielleicht hatte sie mich aber auch kommen sehen. Sie trug einen Hausmantel aus rosa Satin und sah aus wie Jean Harlowe, die sich gerade heimlich einen Marlene-Dietrich-Film angesehen hat.

»Ich wollte Sie nicht anrufen«, überfiel ich sie, bevor sie den Mund aufmachen konnte. »Ich wollte Sie sofort sprechen und keinen Termin vereinbaren.«

Sie lächelte konventionell und führte mich in ihr Wohnzimmer, wo sie sich, mit dem Rücken zum Fenster, auf einer weißen Ledercouch niederließ. Jetzt sah sie aus wie Jean Harlowe auf einem Elefantenrücken.

Ich ließ mich ihr gegenüber nieder und sah sie kühl und abwartend an, gespannt auf ihren ersten Satz.

»Was möchten Sie trinken?« fragte sie und stand sofort wieder auf.

»Einen Gin-Fizz bitte«, sagte ich und dachte: Wenn es so im Drehbuch steht...

Während sie in der Küche mixte, sah ich mich gründlich um. Von ihrer Profession merkte man hier wenig. Es dominierten Stahlrohr und Leder, und zwei junge Wilde kotzten sich an den Wänden aus. Aber an der Rückwand stand ein sehr schöner, asiatischer Sekretär mit reicher Intarsienarbeit, ein echtes Kolonialwarenstück, und statt der üblichen Verlegenheitsnippes sah ich ein paar beeindrukkende Masken und Figuren von der Elfenbeinküste. Sie wurden früher bei rituellen Tänzen verwendet, die Afrikaner schreiben ihnen mythische Kräfte zu. Ich verstehe ein bißchen was davon, weil ein verstorbener Onkel von mir sich nicht entblödet hatte, an verschiedenen Afrikafeldzügen teilzunehmen und sich im Frieden mit Hilfe seiner Verbindungen dort hemmungslos zu bereichern. »Materielle Völkerverständigung« nannte er das. Als wir seinen Nachlaß sichteten, stellten wir fest, daß die Verständigung intensiv gewesen sein muß – vor den Importverboten.

Irene Schleswig präsentierte unsere Gin-Fizz auf einem Silbertablett. Ich nippte an meinem und bemühte mich, nicht das Gesicht zu verziehen. Ich hasse Gin-Fizz. Aber ich setzte noch immer darauf, daß meine Auftraggeberin in ihrem Schlafzimmer eine Krimi-Bibliothek stehen hatte.

»Kann ich etwas für Sie tun, oder wollen Sie mir schon etwas berichten?« fragte Irene Schleswig mit einem feinen Lächeln. »Ich habe Sie gestern vor meinem Haus stehen sehen. Sie sind eine fleißige junge Frau...«

»Vielleicht bin ich schon zu fleißig gewesen«, sagte ich knapp.

»Und weshalb?« Ihr Ton schien bemüht gleichgültig.

»Ich hatte gestern nacht eine bemerkenswerte Begegnung, und dazu würde ich gerne Ihre Meinung hören. – Hätten Sie noch mal Feuer?« Ich wußte, daß ich Irene Schleswig beschäftigen mußte, um irgendeine gelöste Gemütsbewegung von ihr, und sei es auch nur aus Versehen, zu verursachen.

»Ich bin gestern nacht überfallen worden!« Pause. »Ein Kerl bedrohte mich mit dem Messer. Er fragte mich, für wen ich arbeite.«

»Aber das ist ja entsetzlich«, rief Irene Schleswig mit großen Augen. Sie griff nach ihren Zigaretten, als müßte sie sich beruhigen. Schnell bot ich ihr das blaue Päckchen an und genoß es zu sehen, wie schnell in ihrem Gesicht Widerwille den Schrecken ablöste.

»Vor allem ist es mir unverständlich«, sagte ich ruhig. »Ich kam hierher in der Annahme, Sie könnten mir Aufklärung geben.«

»Aber wie sollte mir das möglich sein.« Sie schwankte zwischen Erstaunen und Entsetzen. »Ich kann mir nicht im geringsten vorstellen, daß das mit dieser Sache... mit meinem Anliegen zusammenhängen könnte. Wie kommen Sie denn darauf?«

»Sind Sie sicher, daß Sie mir alles gesagt haben, was für die Angelegenheit von Bedeutung ist?« Mein Blick suchte ihre Augen, aber sie blickte auf einen jungen Wilden, als schaute sie aufs Meer hinaus.

»Aber ja... Natürlich!«

»Wie ich Ihnen bei unserem Gespräch schon sagte, bin ich grundsätzlich nur mit einem Fall beschäftigt. Und ich übernehme einen Auftrag erst, nachdem der vorherige ganz und zur Zufriedenheit abgeschlossen ist. Es kann sich also nicht um alte Schulden handeln.« Das stimmte zwar im Grundsatz keineswegs, aber in diesem Fall traf es zu: Mein letzter Auftrag lag ein Vierteljahr zurück, ich hatte einen Ehemann aufgespürt, der statt zu Verwandten nach Schleswig-Holstein in einen Strandkorb auf Sylt geflohen war, nur eine streunende Katze im Arm.

»Das will ich Ihnen gern glauben«, sagte Irene Schleswig, und man sah ihr an, daß sie es wirklich gerne geglaubt hätte. »Ich würde Ihnen ja schrecklich gern helfen, aber ich sehe einfach keine Möglichkeit.«

Langsam wurde ich ärgerlich.

»Frau Schleswig«, entgegnete ich harsch, »ich beobachte nun seit drei Tagen Ihr Haus, und vom ersten Tag an bin ich selbst beobachtet worden. Letzte Nacht hat mich das beinahe das Leben gekostet. Ich wette, daß, hätte ich Ihren Fall nicht angenommen, mir kein Stilett nach der Kehle getrachtet hätte – milde ausgedrückt.«

Sie hielt ihre stahlblauen Augen geradewegs auf mich gerichtet. Keine Mimik. Blaß war sie von Natur aus.

»Es war ein dunkelblauer BMW 323i mit getönten Scheiben. Der Fahrer war etwa einsachtzig groß. Mittelblondes Haar, kräftig. Er trug an allen drei Tagen eine schwarze Lederjacke. Gestern nacht hat er mich vor der Haustür überfallen und mir sein Messer an die Kehle gesetzt. Ein reiner Zufall hat Schlimmeres verhindert. Das sind die Tatsachen, und von Ihnen hätte ich gern die Erklärung.«

Ich wußte, daß ich ihr den Vorgang so hart hatte schildern müssen, und spürte, daß sie log, zumindest etwas verschwieg. Deswegen sah ich keine andere Möglichkeit, als sie in die Enge zu treiben. Die Geschichte mit dem Prälaten glaubte ich nur noch halb.

Sie wirkte nun ernstlich besorgt. Angestrengt überlegte sie und sah mich ein bißchen verzweifelt an.

»Ich kenne niemanden, der so aussieht«, erklärte sie. »Und ich finde beim besten Willen auch keinen Hinweis darauf, was das mit den Drohanrufen zu tun haben soll.«

Wir machten eine Spannungspause.

»Wenn Sie aber den Fall nicht weiter bearbeiten möchten«, sagte sie schließlich, »habe ich natürlich Verständnis dafür.«

So kommst du mir nicht davon, dachte ich. »Ich werde den Fall weiter bearbeiten«, sagte ich kühl und stand auf. »Aber Sie haben sicher auch Verständnis dafür, daß ich mich bei einer weiteren Bedrohung an die Polizei wenden muß. Im Gegensatz zu Ihrem Bekannten setze ich damit keinen Ruf aufs Spiel.«

»Natürlich«, entgegnete sie blaß. Sie wirkte ratlos und ein bißchen erschöpft. Ich war mir nicht sicher, ob meine Drohung an die richtige Adresse gerichtet war.

Draußen sah ich mich lange um. Der Vorhang vor ihrem Fenster bewegte sich leicht im Wind. Der BMW war nirgendwo zu sehen.

Als nächstes rief ich meine Freundin von der Sitte an. Ich hatte Glück, Edith zu Hause zu erwischen, sie verbringt sogar manchen Feiertag gezwungenermaßen in der Kaiserstraße und der Gegend um den Hauptbahnhof. Ihre Stimme klang munter wie immer.

»Ja, hallo?«

»Edith? Hier spricht deine illegale Freundin.«

»Ach, du bist's, Ruth! Ich bin gerade ein bißchen auf dem Sprung, ich bin mit Bernhard im Zoo verabredet. Komm doch mit!«

Bernhard war ihr Freund, ein Biologe, der mit irgendwelchen Feuchtbiotopen in Schrebergärten zu tun hatte. »Ich frage mich, was du noch im Zoo willst«, sagte ich. »Du hast den ganzen Tag mit Bienen und Schweinen und Haien zu tun...«

»Alles kleine Fische«, lachte sie. »Ich will mal Schweine auf vier Beinen sehen.«

Mir war unbegreiflich, woher Edith ihre Heiterkeit bezog. Bei ihrem Beruf wäre ich längst Mitglied bei den Anonymen Alkoholikern geworden, so deprimierend war der Alltag bei der Sitte. »Hör mal, Edith«, sagte ich, »ich brauche die Halter von zwei Fahrzeugen. Wenn du gerade was zu schreiben hast...«

»Aber erst morgen, Schätzchen«, sagte sie. »Heute breche ich nicht mehr in unser Datennetz ein, heute habe ich wirklich frei.«

»Morgen ist prima. Die Nummern lauten: F-T 69 und F-SU 1010. Ruf mich an, wenn du die Namen hast, okay? Ich bin morgen früh im Büro.«

»Und der Zoo?«

»Kein Bedarf. Ich habe hier noch einen dicken Kater sitzen, den muß ich erst versorgen.« Ich legte auf und wählte das Berliner Bärchen an. Seine Stimme klang nach Examen.

»Alex, ich muß mal deine akademische Bildung anzapfen. Ich will morgen jemanden interviewen, und da brauche ich einen Vorwand. Dieser Mensch ist ein hohes Tier bei der kirchlichen Mission, die sich ja heutzutage Entwicklungshilfe nennt. Also werde ich dort als Doktorandin in Entwicklungssoziologie auftreten...«

Wir führten ein langes Gespräch, und ich machte mir eine Menge Notizen. Schließlich hatte ich das sichere Gefühl, für Dr. Weldige eine interessante Gesprächspartnerin zu sein.

Der Morgen ließ sich gut an. Die Sekretärin des Prälaten Dr. Weldige, die frivolerweise Kussner hieß, gab mir mit leichtem Widerstreben einen Termin für den gleichen Tag um 14 Uhr. Ich hatte ihr eine lange Geschichte erzählt von einem Förderungsantrag, den ich noch in der nächsten Woche stellen müßte, um in den nächsten Stipendienjahrgang aufgenommen zu werden, und zu dem einige Informationen von Herrn Dr. Weldige unbedingt erforderlich seien. Sie resignierte vor meinem Wortschwall und der Häufung von Notwendigkeiten, die ich vor ihr ausbreitete, aber sie schien nicht überzeugt. Ihre Stimme klang mürbe und feindselig, wahrscheinlich war sie graumeliert, trug

Stricktwinsets und bewachte ihren Chef wie ein Drachen – in einem kleinen, muffigen Vorzimmer mit einem Bildkalender von der Sparkasse an der Wand: ›Die schönsten Alpenlandschaften Europas‹.

Dann rief meine Freundin Edith an. Sie ist weniger phantasiebegabt als ich, dafür aber auch manches Mal mit den Tatsachen in innigerer Umarmung. »Ich habe die Halter herausgefunden«, sagte sie fröhlich. »Vermutlich wird dir aber die eine Recherche nicht helfen: F-SU 1010 ist ein BMW, den die Firma DeutschlandCar am Flughafen vermietet.«

»Mist«, sagte ich, »das gibt einen Haufen Arbeit. – Und die andere Nummer, der Fiat Uno?«

»Erst mal schön Danke sagen. Aber gern geschehen. Halter des Uno ist ein Oliver Weldige, wohnhaft Frankfurt-Griesheim – «

»Gottfried-Keller-Straße 34«, unterbrach ich sie.

Das war die Privatadresse des Herrn, dem ich heute mittag einige Fragen stellen würde. Also hatte er einen erwachsenen Sohn, und der hatte ein Auto. Und dieses Auto fuhr die Myliusstraße auf und ab, auf und ab...

»Kann ich sonst noch was für dich tun?« schnellte Ediths Stimme in meine Gedanken.

Ich überlegte, ob ich ihr die DeutschlandCar-Recherche noch aufhängen konnte. Aber ich wollte sie nicht zu sehr strapazieren. Für solche Fälle konnte ich auch meine alte Hundemarke mißbrauchen, die ich in der Stuttgarter Detektei hatte mitgehen lassen. Wenn's sein muß, greifen auch die Großen zu Polizeiplagiaten dieser Art: abgelaufene Ausweise, verschwundene Märkchen... für eine kurze Überrumpelung genügt das meist.

»Wenn ich mit DeutschlandCar nicht weiterkomme, muß ich dich vielleicht noch mal bemühen«, sagte ich vorsichtig. »Einstweilen wirklich vielen Dank. Wenn ich den Fall gelöst habe, ist ein Essen beim Spanier fällig, okay?«

Ich saß noch eine Weile da und starrte Löcher in die Luft. Oliver Weldige... Was hatte der Knabe damit zu tun? Wieso fuhr er Irene Schleswig an, die ja schließlich nicht die Geliebte seines Vaters war – und ihm überdies für sein munteres Treiben seit Wochen kein Obdach mehr bot?

Zum ersten Mal in meiner kurzen Karriere nahm ich den Trenchcoat vom Haken. Für das, was ich vorhatte, konnte er hilfreich sein.

Der Frankfurter Flughafen ist ein Monstrum, in dessen Nähe ich mich ungern aufhalte. Einige meiner Freunde sind immer noch in Prozesse wegen der Startbahndemonstrationen verwickelt, und ich mußte an die kalten, bedrohlichen Stunden denken, die ich dort draußen verbracht hatte, als ich den Parkplatz verließ. In zehn Jahren würde vielleicht keiner mehr daran denken, welche Opfer diese Erweiterung gekostet hatte, bis auf die vielen, die Zeit und Herzblut gegeben hatten, um diesen Wahnsinn zu verhindern. Lieb Vaterland, magst ruhig sein...

DeutschlandCar war keine große Firma. In dem Büro, das ausgestattet war wie ein Planschbecken, gekachelt in Weiß und Hellblau, saß einzig ein junger Mann hinter Terminal und Schreibmaschine. Er sah nicht nach Schwierigkeiten aus, und so änderte ich meine Taktik kurzerhand. Denn auch mir war nicht nach Schwierigkeiten zumute.

Er schrak auf, als ich mich über die Theke lehnte. Auf dem Bildschirm kämpften zwei Starfighter miteinander.

»Was kann ich für Sie tun«, stotterte er ziemlich verlegen.

»Ich hätte gern eine Auskunft«, sagte ich und zeigte ihm meine Karte. »Ich möchte wissen, wer einen blauen BMW mit dem Kennzeichen F-SU 1010 in den letzten Tagen gemietet hat.«

Er sah so aus, als hätte er auf eine solche Szene immer

schon gewartet. Murmelte etwas von Datenschutz, aber die Neugier stand ihm im Gesicht geschrieben.

»Ich will Ihnen erzählen, worum es geht, damit Sie kein schlechtes Gewissen haben müssen«, sagte ich und sah seine Ohren wachsen. »Ich bin für eine große Versicherungsgesellschaft tätig, die sich auf Kunstgegenstände spezialisiert hat. Sie haben sicher in der Zeitung gelesen, daß vor zwei Tagen im Städel eingebrochen worden ist.« Er hatte sicher nichts davon gelesen, weil nichts dergleichen passiert war, aber wie erwartet nickte er eifrig.

»Es sind zwei Gemälde von Delacroix entwendet worden. Ich persönlich habe für Delacroix nichts übrig«, sagte ich vertraulich und vollkommen aufrichtig, »aber die Versicherungssumme ist erheblich. Die Gemälde sind meiner Gesellschaft gestern zum Kauf angeboten worden – das passiert hin und wieder, und die Rückkaufsumme liegt im Regelfall deutlich niedriger als die Versicherungssumme. Tja, und ich muß jetzt den Täter finden – oder denjenigen, der die Bilder verkaufen will. Es besteht der begründete Verdacht«, fuhr ich fort und schämte mich dieser Phrase, die aber wirkungsvoll und verläßlich war, »daß die Bilder in diesem Auto transportiert worden sind.«

Er sah mich mit offenem Munde an. »Und was kann ich dabei tun?«

»Mir den Halter des Wagens nennen.« Ich schob einen Fünzigmarkschein über die Theke und sah ihn aufmunternd an. »Für Hinweise, die zur Ermittlung des Täters führen«, zitierte ich, »hat die Gesellschaft eine Summe von zehntausend Mark ausgesetzt.«

Er machte sich so eilig an seinem Terminal zu schaffen, als fürchtete er, ich könnte es mir anders überlegen. Aber zuerst mußte er natürlich sein Starfighterspiel löschen. Das dauerte seine Zeit. Ich stand neugierig, wie ich nun mal bin, mittlerweile neben seinem Schreibtisch. Ich gab ihm die genauen Daten und bot ihm eine Zigarette an. Er sah paffend und nervös auf seinen Bildschirm und machte plötzlich ein ziemlich enttäuschtes Gesicht. »Das ist ein Stammkunde von uns«, sagte er lahm. »Internationale Spedition Binzel in Höchst. Die leihen bei uns oft einen Wagen, wir haben so eine Art Dauervertrag.«

»Binzel« – diese Hessen hatten Namen, die man immerhin kaum vergessen konnte.

»Ja, das tut mir leid für Sie«, nickte ich ihm bedauernd zu. »Das hört sich ja ziemlich solide an. Dann muß ich mal weitersuchen.«

»Ein anderer Wagen von uns kann es nicht gewesen sein?« fragte er hoffnungsvoll.

Ich ließ ihn noch prüfen, welche Kennzeichen mit ähnlichen Nummern er im Speicher hatte. Die Suche verlief ergebnislos, und das kam mir auch sehr gelegen.

»Die fünfzig Mark können Sie trotzdem behalten«, sagte ich. »Übrigens – warum heißt diese Firma Deutschland-Car? Vermitteln Sie Wagen nicht ins Ausland?«

»Wir haben Zweigstellen in Österreich, Frankreich, Belgien und der Schweiz«, sagte er stolz. »Und natürlich können Sie unsere Wagen überall hinfahren, Sie müssen sie dann nur in einem dieser Länder wieder abgeben.«

»Schön, vielleicht komme ich darauf zurück«, sagte ich und nickte ihm freundlich zu. Ich kam mir vor wie eine junggebliebene Miß Marple: pfiffig, gewaltlos und irreführend. Und jetzt auf dem schnellsten Wege zu meinem Kirchenmann.

Wie man sich täuschen kann.

Das Diakonische Werk war größer, besser ausgestattet und moderner, als ich erwartet hatte. Und in dem geschmackvoll eingerichteten Büro von Frau Kussner hing kein Alpenkalender, sondern ein guter Druck von Klee. Auf dem Schreibtisch stand eine kleine afrikanische Plastik aus Elfenbein, die der Sekretärin nicht unähnlich war. Sie trug das schwarze Haar hochgesteckt, ein enganliegendes Kleid aus dunkler Wolle und aparten Schmuck. Sie war höchstens fünfunddreißig und hatte einen scharfen Zug um den gut geschminkten Mund, von dem die großen Ohrringe ablenken sollten. Eine Dame mit Vergangenheit, dachte ich. Mir fielen die unzähligen Bonner Sekretärinnen ein, die Agenten zum Opfer fielen...

Als hätten meine Phantasien sie brüskiert, fragte sie mich ziemlich scharf nach meinem Anliegen.

»Mein Name ist Gertrud Fechner. Wir haben miteinander telefoniert, und sie haben mir freundlicherweise für 14 Uhr einen Termin mit Dr. Weldige vermittelt.«

Ich lächelte so entwaffnend wie möglich und gab ihr die Hand. Sie drückte sie schwach und lächelte ebenso. In diesem Moment klingelte das Telefon. Sie nahm den Hörer ab und sagte: »Einen Moment, ich stelle durch«, drückte eine Taste und sagte kühl: »Herr Dr. Weldige, eine Dame für Sie. Sie hat ihren Namen nicht genannt.«

Ich sah ihr an, wie gern sie das Gespräch mitgehört hätte. Statt dessen mußte sie mir Kaffee anbieten. Ich balancierte die Tasse auf meinen Knien und wartete, während sie sich angelegentlich beschäftigte. Schließlich klingelte es kurz, und sie klopfte an seine Tür. »Frau Fechner ist da«, sagte sie in die offene Tür hinein. Ich stellte die Tasse auf ihrem Schreibtisch ab und ging hinein. Sie schloß die Tür selbst hinter mir, nicht ohne Nachdruck.

Von Dr. Weldige hatte ich mir eigentlich keine Vorstellung gemacht. Meine weibliche Intuition funktioniert nur bei Frauen – und selbst dann nicht zuverlässig – so daß ich es mir abgewöhnt hatte, mir ein Bild von Männern zu machen, mit denen ich zu tun haben sollte.

Trotzdem war ich überrascht, wie gut er aussah. Er hatte unverschämt graue Schläfen, eine leichte, souveräne Bräune und trug einen Anzug aus feinstem grauen Tuch. Sein Gesicht war markant und sympathisch, er war bartlos und trug eine leichte Metallbrille. Seine blauen Augen waren von vielen Fältchen umgeben und sahen mich aufmerksam an.

»Sie sind also die durchsetzungsfähige Doktorandin«, sagte er amüsiert und gab mir die Hand. »Wer es schafft, bei Frau Kussner einen Termin einzuschieben...«

»Sie sind also mein Karrierehelfer«, lächelte ich und ging auf seinen leichten Ton ein.

»Aber erst einmal helfe ich Ihnen aus dem Mantel«, sagte er, und nachdem das erledigt war, ließ er noch einmal Kaffee kommen. Frau Kussner sah auf meine Beine, als wollte sie sie aus dem Gedächtnis zeichnen. Ich kramte in meinen Unterlagen.

»Also schießen Sie los«, sagte er, als Sylvia Kussner gegangen war. »Was kann ich für Sie tun, was wollen Sie wissen?«

Ich stellte ihm eine Menge Fragen über die Tätigkeit des Diakonischen Werkes in seiner Amtsperiode, also innerhalb der letzten 12 Jahre. Ich hatte von Alexander nicht viel über kirchliche Entwicklungshilfe erfahren können, aber um so mehr über Entwicklungssoziologie in Afrika, speziell der Elfenbeinküste. Also konzentrierte ich mich auf ethnologische Fragen, wirtschaftliche Anpassung etc., um meine Kenntnislücken zu verbergen. Als ich merkte, daß er ein Ethnokunstfan war, ergab sich endlich die Möglichkeit, ein bißchen persönlicher zu werden.

»Ihre Sekretärin hat da eine wunderbare Plastik auf dem Schreibtisch«, sagte ich und sah mich bewundernd um. »Und auch hier sehe ich einige wirklich schöne Stücke...«

»Wertlose Nachbildungen meistenteils«, sagte er mit dem Ton wirklichen Bedauerns. »Aber es ist wahr, ich habe mich intensiv damit befaßt. Für einen Theologen ist es natürlich eine Herausforderung, Mythen und Normensysteme anderer Völker zur Kenntnis zu nehmen und zu verstehen. Und gerade bei den Stämmen, mit denen ich mich näher beschäftigen durfte, spielen Verdichtungen im bildnerischen Symbol eine entscheidende Rolle.«

Ich erzählte ihm, natürlich ohne Namensnennung von meinem kolonialistischen Onkel. »Vielleicht ist das meine Form der Erbsündenabwehr«, sagte ich lächelnd, »ich versuche, als moderne Entwicklungssoziologin, die Taten eines kolonialistischen Vorfahren wiedergutzumachen...«

»Das ist eine ungewöhnlich originelle Auslegung der Bibel, aber Sie sollen sie behalten dürfen. Wenn damit nur Gutes geschieht, sind die Motive zweitrangig. Sie wissen, daß viele Theologen mit Kant nicht auf bestem Fuße stehen...«

Wir warfen uns die Bälle zu, als trainierten wir jeden Donnerstag. Das war für mich um so spannender, als mir selbst nicht völlig klar war, wie ich vorgehen sollte. Um das Gespräch nicht absterben zu lassen, sagte ich: »Ich war leider noch nie an der Elfenbeinküste, nur in Sambia, wo die Kulturschätze sich in Grenzen halten. Aber Sie fliegen sicher des öfteren dorthin, um Ihre Projekte zu begutachten?«

Ich wußte nicht warum, aber diese harmlose Frage brachte ihn aus der Ruhe. »Ich war ebenfalls, zu meinem größten Bedauern, noch nie dort. Ich vertrage die Impfstoffe nicht, die leider erforderlich sind, um die Reise antreten zu können.«

Er sah auf seine Armbanduhr – Platin, soweit ich das erkennen konnte – und bemerkte ein bißchen steif: »Ich sehe, daß unsere Zeit leider bald abgelaufen ist, Frau Fechner. Haben Sie noch wichtige Fragen?«

Ich verstand den Wink und erhob mich. »Eigentlich nicht mehr, Herr Dr. Weldige. Sie haben mir außerordentlich geholfen und mir schon enorm viel Zeit zur Verfügung gestellt. Ich hoffe, ich habe Sie nicht zu lange aufgehalten?«

»Aber natürlich nicht«, sagte er liebenswürdig und öffnete mir die Tür. »Es war mir ein Vergnügen, Frau Fechner, und ich hoffe, ein Exemplar ihrer Doktorarbeit einmal zu Gesicht zu bekommen. Wann ist ein Mann schon einmal an einer Geburt beteiligt...«

»Dieses Stadium bleibt allerdings meist den Frauen überlassen...«

Wir mußten beide ein bißchen grinsen. Für einen Kirchenmann war er wirklich gewitzt. Er nahm meinen Mantel vom Stuhl und gab ihn mir. »Frau Kussner wird ihnen gern die entsprechenden Zahlen heraussuchen. Dann wandte er sich an sie. »Frau Fechner möchte einige statistische Ergänzungen zu unserem Gespräch machen. Ich habe ihr versprochen, daß Sie ihr liebenswürdigerweise die Daten heraussuchen.« Er wartete ihr Einverständnis nicht ab, sondern ging zurück in sein Büro. Durch die geöffnete Tür rief er zurück: »Ach, ehe ich es vergesse – ich bin heute ab halb vier weg. Bitte verlegen Sie den Termin mit Herrn Petermann auf irgendwann nächste Woche!«

Ich sah ihr pampiges Gesicht und machte es kurz. Sie gab mir ein paar Ordner, ich kritzelte ein paar Zahlen auf meinen Zettel und verabschiedete mich so schnell als möglich.

Draußen umtobte mich der Freitagnachmittagsverkehr. Ich blieb einen Moment lang stehen und sah in den gelblichen Schimmer am Himmel, den Frankfurt von der Sonne übrigließ. Das Gesicht von Frau Kussner, als Weldige seine Verabredung herübergerufen hatte, ging mir nicht aus dem Sinn. Erstens war die Dame offensichtlich eifersüchtig, und vielleicht hatte sie ja auch Grund dazu. Zweitens ging diese überraschende Terminänderung wohl auf das Telefongespräch mit der Dame zurück, die ihren Namen nicht genannt hatte.

Es konnte sich lohnen, zu verfolgen, was Weldige um

diese Zeit so unerwartet und dringlich zu erledigen hatte, daß ein Herr Petermann vertröstet werden mußte.

Ich holte schnell meinen Wagen aus der nächsten Einbahnstraße und steckte den Strafzettel ein. Den würde ich Frau Schleswig mit der Spesenabrechnung präsentieren, das war sicher. Zeit hatte ich eigentlich nicht: Ich wollte heute noch Frau Weldige kennenlernen und möglichst den Knaben Oliver. Andererseits war es dafür von Vorteil, Dr. Weldige irgendwo in guten Händen zu wissen, damit er mir nicht dazwischenfunkte. Ich setzte eine riesige Sonnenbrille auf und band mir ein Tuch um die Haare. Jetzt im Cabrio sitzen, ohne zu schwitzen... Ich manövrierte den Wagen in Sichtweite zum Diakonischen Werk und wartete.

Um zwanzig nach drei und ganz offensichtlich in Eile verließ Weldige das Haus. Er stieg in seinen Wagen und fuhr in Richtung Westend. Ich folgte ihm so dicht wie möglich, damit er mich auf keinen Fall an einer roten Ampel abhängte. Schließlich konnte er nicht vermuten, verfolgt zu werden, und selbst ein Blick in den Rückspiegel hätte ihn nicht irritiert; ich war mit einem schnellen Auge nicht mehr zu identifizieren.

Er hielt schräg gegenüber vom Café Laumer an der Bokkenheimer Straße und ging schnellen Schrittes hinein. Ich parkte, wo ich gerade stand, und nahm eine rote Windjacke vom Rücksitz – auf Minimalverkleidung bin ich immer eingestellt.

Das Café Laumer ist ein traditionsreicher Frankfurter Intellektuellentreff. Während der Buchmesse hat es ein Hamburger Verlag abonniert, dann ist es der Absacker für die Branche. Ansonsten merkt man ihm seine Geschichte nicht an, es ist eingerichtet wie ein klassisches Café für ältere Damen, mit einer Theke vorn und einer Menge diskreter Plätze. Das kam mir jetzt zugute. Ich bestellte an der Theke ein Stückchen Apfeltorte und sah mich um, so unauffällig es ging.

Dr. Weldige saß mit einer ziemlich jungen, ziemlich blonden Frau an einem Tisch in der hintersten Ecke. Sie streichelte seine Hand und sprach intensiv auf ihn ein, er zeigte mir sein nervöses Profil und sah zwischendurch auf die Uhr. Ich machte, daß ich wegkam: Wenn die beiden noch miteinander wegfuhren, würde es länger dauern, soviel war gewiß. Wenn nicht, tat ich gut daran, bei seiner Familie heute nicht mehr aufzutauchen.

Dann saß ich mit meiner blöden Apfeltorte und der Sahne zwanzig Minuten im heißen Wagen und wartete. Einen Berliner hätte ich kaufen sollen, den kann man auch ohne Gabel essen. Ich kämpfte mit meinem Hunger und mit mir, nochmal in das Café zu gehen, aber mein beruflicher Ehrgeiz siegte. Wenn die beiden mir jetzt entwischten, war eine günstige Gelegenheit dahin und der Rest des Tages auch.

Schließlich kamen sie nacheinander heraus. Sie stiegen in zwei Autos, die Dame in ein Mercedes-Cabriolet, um das ich sie beneidete und von dem ich mir die Nummer notierte. Ich folgte den beiden bis nach Frankfurt-Seckbach, was ein nettes Ende ist. Dort bog sie in die geschwungene Auffahrt einer Villa im Fachwerk-Stil ein. Er parkte zwei Ecken weiter und ging in Richtung des Hauses zurück.

Der Ehemann war also nicht da. Ich hatte erfahren, was ich wissen wollte. Jetzt mußte ich mich aber sputen.

Mit einem Affenzahn fuhr ich nach Frankfurt-Griesheim. Die Gottfried-Keller-Straße ist so ruhig, wie der Name vermuten läßt, nur etwas kürzer. Das Haus der Weldiges war ein unpompöses, solides Einfamilienhaus mit einem ungewöhnlich großen Vorgarten, dessen dichter Bewuchs meinen Plänen sehr entgegenkam.

Ich ließ den Wagen ausrollen und hielt etwa fünfzehn Meter vom Haus entfernt. Ich nahm das Tuch vom Haar, setzte die Sonnenbrille ab und kämmte mich. Wenn ich

Frau Weldige richtig erahnte, konnte ein bißchen Lippenstift nicht schaden.

Und für Oliver ein wenig Parfüm.

Ich öffnete die Motorhaube und schnitt mit meinem scharfen Taschenmesser den Keilriemen durch. Dann spielte ich mit ein paar Schrauben, Ösen und Leitungen, bis meine Hände nach harter Arbeit aussahen. Schließlich warf ich verärgert die Motorhaube wieder zu und ging mit zögernden Schritten auf das Haus der Weldiges zu. Die Möglichkeit, daß Weldige früher zurückkommen könnte, als erwartet, ließ mich in der heißen Maisonne frieren. Allzuviel Improvisation war nicht meine Stärke. Aber ich hatte den Ehrgeiz, den Fall abzuschließen – zumindest wollte ich klarer sehen. Der BMW war mir heute und gestern nicht mehr gefolgt, aber meine Schulter schmerzte noch. Irgendwie steckte mehr dahinter und es blieb mir keine Wahl, als das Terrain gründlich zu sondieren.

Ich klingelte zweimal, schwach und fragend. Eine Minute lang passierte gar nichts, dann hörte ich Absatzklappern, und Frau Weldige öffnete die Tür. Sie sah mich fragend an und sagte: »Ja?«

Entschuldigen Sie bitte vielmals diese Störung«, begann ich, »aber mir ist direkt vor ihrem Haus mein Wagen liegen geblieben, und ich wollte Sie fragen, ob ich von hier aus mal eben telefonieren könnte. Ich befürchte, ich muß einen Abschleppwagen rufen. Ich habe selbst mein Bestes versucht...«, ich hob bedauernd meine ölverschmierten Hände, »doch ich komme einfach nicht weiter.«

»Aber selbstverständlich«, sagte sie liebenswürdig. »Kommen Sie doch herein.«

»Ich muß mir wohl erst einmal die Hände waschen, bevor ich einen Telefonhörer in die Hand nehmen kann«, sagte ich entschuldigend.

»Natürlich. Gleich hier links ist das Gäste-WC« – sie sagte wirklich WC – »und dann hätten Sie vielleicht auch gerne einen Schluck zu trinken? Es ist ja wirklich eine entsetzliche Hitze draußen.«

»Ja, wenn Sie einen Schluck Wasser hätten, oder vielleicht Saft... Ich wäre Ihnen sehr verbunden.«

Das klappt ja alles wie geschmiert, dachte ich, als ich mir das Schwarzbraun von den Händen wusch. Ich ließ mir etwas Zeit, bis ich den Flur wieder betrat. Die Tür zu einem riesigen Wohnzimmer stand offen, und ich versank dankbar in einem großen, kühlen Polster. »Es ist mir wirklich unangenehm, daß ich Sie belästigen mußte«, fuhr ich fort in meinem Text, »aber ich habe weit und breit keine Telefonzelle gesehen.«

»Das macht überhaupt nichts, ich bin Ihnen doch gern behilflich. Ich stehe auch immer wie ein dummes Kind vor meinem Auto, wenn es nicht mehr läuft.«

Das hatte ich zwar nicht im geringsten angedeutet, aber ich ergriff den Faden mit Dankbarkeit. »Ja, es hat sich nicht viel geändert in dieser Beziehung. Ich bin fest davon überzeugt, daß Frauen besser, jedenfalls vorsichtiger Auto fahren, aber wenn die Fahrt einmal unterbrochen ist...

Ich hatte mich unauffällig umgesehen. Meine Überraschung war nicht gespielt: »Sie haben ja beeindruckende Plastiken hier und wunderbare Schnitzereien aus Elfenbein!« Ich ging auf ein besonders schönes Exemplar an der Rückwand zu und fuhr vorsichtig mit den Fingerspitzen darüber. »Eine wundervolle Arbeit«, sagte ich und drehte mich zu ihr um. Sie nickte ein bißchen gleichgültig. »Ja, es sind wohl sehr wertvolle Stücke. Ich verstehe nicht viel davon, und ich finde, sie haben etwas Beängstigendes. Aber mein Mann hängt sehr daran.«

Sie sah aus wie eine Frau, die sich leicht ängstigen läßt. Sie war sicher einmal recht hübsch gewesen, aber nun dominierte ein Ausdruck von enttäuschter Verstörung ihr schmales Gesicht. Sie war außerordentlich höflich, aber viel unsicherer und weicher als ihr Mann und weniger Lady, als er Gentleman war oder zu sein versuchte.

»Man sieht solche Dinge sehr selten in Deutschland«, stellte ich fest. »Deshalb war ich auch so überrascht. Elfenbein steht ja unter dem Artenschutzgesetz, und für originale afrikanische Kunst gibt es auch sehr strenge Ausfuhrbestimmungen. Sie können sich glücklich schätzen, im Besitz dieser Dinge zu sein.«

Sie zuckte leicht zusammen, ob unter meinen gesetzlichen Ausführungen oder der Aufforderung, sich glücklich zu fühlen, war schwer zu sagen.

»Mein Sohn Oliver müßte jeden Augenblick zurück sein. Er ist Autonarr, und er könnte Ihnen sicher helfen... dann müßten Sie nicht den Abschleppdienst kommen lassen...«

»Das ist sehr freundlich von Ihnen. Aber ich halte Sie doch sicher auf – freitags um diese Zeit...«

»Oh, das macht überhaupt nichts«, sagte sie eilig. »Wir essen ganz unregelmäßig, und ich erwarte meinen Mann auch gar nicht so bald zurück.«

Sehr brav, dachte ich. Dann wollen wir uns mal die Zeit vertreiben, bis Sohn Oliver nach Hause kommt.

»Seien Sie mir nicht böse«, sagte ich eifrig, »aber ich *muß* noch einmal darauf zurückkommen, denn ich bin ein wirklicher Afrika-Fan: Haben Sie die Stücke selbst gefunden und wissen Sie die Namen der Stämme, die sie angefertigt haben?«

»Da kann ich Ihnen leider gar nicht weiterhelfen. Wissen Sie, mein Mann hat beruflich oft dort zu tun, an der Elfenbeinküste, er versteht sehr viel davon. Aber ich weiß fast gar nichts darüber.«

»Sind Sie denn nie mitgefahren?« fragte ich leichthin.

»Nein, ich vertrage die Impfungen nicht. Und ich kann auch diese Hitze nicht verkraften, ich leide hier schon darunter...«

»Ja, es ist unglaublich schwül in Frankfurt. Schon im

Mai ist man ganz antriebsarm. Aber ich glaube, Frauen sind da sowieso empfindlicher.«

Diese Entlastung nahm sie gerne an. Sie war leicht zu behandeln, die freundliche Frau Weldige. Und leicht zu mißhandeln wohl auch.

Glücklicherweise hörte ich bald einen Schlüssel in der Haustür einrasten. Mitten hinein in die Stille und Kühle trat nun Sohn Oliver, ein blonder Junge in Jeans und hellem Hemd.

Er hatte ein angenehmes, trotzdem düsteres Gesicht und blieb ein bißchen verlegen auf der Schwelle stehen.

»Oliver, dieser reizenden jungen Dame ist direkt vor unserer Haustür der Wagen liegen geblieben –«

Ich war froh, daß sie mich nicht nach meinem Namen fragte.

»Ich wollte den Abschleppdienst anrufen«, sagte ich und lächelte ihn bestrickend an, »aber Ihre Mutter hat mich davon überzeugt, daß es aussichtsreich sein könnte, auf Sie zu warten. Sie sollen ein Genie sein, wenn es um Motoren geht... Aber ich weiß wirklich nicht, ob ich Sie darum bitten kann...«

»Klar«, sagte er, froh, etwas tun zu können, »ich sehe mal eben nach.«

»Das ist ja phantastisch. Dann komme ich wohl am besten mit.«

Draußen beugten wir unsere Köpfe angestrengt über den Motor meines Golfs. Olivers Mutter hatte nicht übertrieben, er erkannte den Schaden mit einem Blick.

»Ihnen ist der Keilriemen gerissen. Sehen Sie – hier!«

Ich sah ihn verständnislos an.

»Der Keilriemen – gerissen?«

»Der Keilriemen«, erklärte er mir geduldig, »treibt die Aggregate, äh, Wasserpumpe und Lichtmaschine an. Ist der Wagen heißgelaufen?«

»Na ja, vielleicht ein bißchen. Ich hatte es sehr eilig.«

Er überging meine ziemlich schwachsinnige Bemerkung höflich.

»So können Sie nicht weiterfahren.«

»Nun, das ist nicht so schlimm, meine Verabredung ist jetzt sowieso geplatzt. Ärgerlich ist nur, daß ich überhaupt nichts von Autos verstehe... Muß ich ihn in die Werkstatt bringen... Ist so etwas teuer?«

Ich wußte, daß ich ihm gefiel, aber ich war mir nicht sicher, ob er seine Schüchternheit überwinden würde. »Ich bin nämlich fast pleite«, fügte ich hinzu.

Er machte die Motorhaube zu. Mir fielen seine Hände auf, groß und schön geformt, mit schmal zulaufenden, sensiblen Gliedern. Die Hände seiner Mutter.

»Ich könnte Sie nach Hause bringen«, bot er mir zögernd an, »und morgen einen neuen Keilriemen besorgen und montieren. Das ist keine große Sache, das habe ich schon oft gemacht, zehn Minuten, länger dauert es nicht.«

Ich lächelte ihn glücklich an, bevor er sich vor lauter Verklemmung etwas anderes überlegen konnte.

»Das wäre wirklich hinreißend. Aber ich wohne ziemlich weit weg, im Nordend, wissen Sie. Würden Sie es trotzdem machen?«

»Klar«, sagte er. »Und morgen früh habe ich sowieso in der Stadt zu tun, da hole ich den Keilriemen. Teuer ist sowas nicht.«

Er war jetzt viel sicherer. Wir gingen ins Haus zurück, wo ich mich bei Frau Weldige überschwänglich bedankte. Dann setzten wir uns in das Auto, unter das Irene Schleswig beinahe für immer zu liegen gekommen wäre.

Die Fahrt mit dem roten Fiat Uno war angenehm. Die Luft hatte sich abgekühlt, und Oliver hatte einen freundlichen, sanften Jazz eingelegt, der uns beide in beschwingte Stimmung versetzte. Ich mochte den Jungen. Er selbst schien es zu genießen, die Fäden in der Hand zu halten, indem er mich nach Hause fuhr. Als ich erzählte, ich würde in Frankfurt Psychologie studieren, warf er mir einen schiefen Blick von der Seite zu.

»Keine Angst«, lachte ich, »im Privatleben analysiere ich nicht.«

»Ich habe keine Angst«, sagte er beleidigt. »Aber ich halte nicht viel davon. Ich war mal bei einem Kollegen von Ihnen, und das war der größte Vollidiot, den man sich nur denken kann.«

Hoppla, dachte ich, diese Familie hat's in sich. Wahrscheinlich haben die beiden versucht, ihre Ehekrise zu überwinden, indem sie das Kind für gestört erklärten...

»Natürlich gibt es auch bei uns schwarze Schafe, und das nicht zu knapp«, gab ich bereitwillig zu. »Übrigens können wir uns doch duzen, oder? Ich heiße Maria.«

»Ich heiße Oliver«, sagte er und sah ziemlich starr gerade aus. Er sagte es so leise, daß ich hätte nachfragen müssen. Aber das wußte ich ja schon.

Oliver fuhr ziemlich forsch, wenn auch überraschend sicher. Man merkte ihm an, daß er sich in seinem Auto zuhause fühlte. Als wir in die Wielandstraße einfuhren, manövrierte ich ihn sogar in meine Parklücke. Ich hatte ein angenehmes Gefühl, als wäre der Fall bereits gelöst und mußte mich mit Mühe daran erinnern, daß jederzeit ein Mann mit Lederjacke wieder auftauchen könnte. Trotzdem hatte ich keine Bedenken, ihn in meine Privatsphäre zu bitten.

»Hast du Lust, oben bei mir noch einen Schluck zu trinken?«, fragte ich sehr selbstverständlich und nahm ihm durch mein Aussteigen die Entscheidung ab.

Ich machte uns zwei Campari und ging mit ihm in mein Wohnzimmer, das wohlweislich nichts von meiner Profession verriet.

»Du lebst nicht schlecht«, sagte Oliver, der wieder unsicher wirkte, »für eine Studentin«.

»Ach, ich jobbe nebenher. Wenn man Psychologie studiert, ist das ziemlich einfach, man kann immer mal aushelfen in irgendeinem sozialen Dienst. Meine Freundin arbeitet im Frauenhaus und finanziert sich so ihr Studium, und ich bin schon lange in der Familienberatung als bezahlte Praktikantin. Da bekommt man ziemlich viel mit... Ich will mich auch darauf spezialisieren. Weißt du, das Erschütternde ist nämlich eigentlich, daß oft die Falschen in die Therapie geschickt werden, und genau da setzt die Familientherapie an.«

»Wie meinst du das, die Falschen in die Therapie geschickt?«

»Na ja... meist ist die Mutter neurotisch, der Vater baut Mist, und das Kind wird als Fall in die Therapie geschickt. Da muß man ziemlich hart arbeiten, um die Eltern davon zu überzeugen, daß sich am Kind nur symptomatisch IHRE Schwierigkeiten zeigen. Aber interessiert dich das überhaupt?«

Es interessierte *ihn* begreiflicherweise. Ich kam mir ein bißchen schäbig vor, ihn so auszutricksen, aber schließlich wollte ich sichergehen. Vermutlich hatte er Irene Schleswig nicht nur angefahren, sondern auch bedroht. Ich wurde aber nicht für Ahnungen bezahlt, sondern für Beweise. Und je mehr ich über ihn erfuhr, um so besser konnte ich Irene Schleswig beeinflussen, wie sie mit ihrem Wissen umgehen sollte.

»Weißt du, das Muster ist ziemlich einfach, in unserer Gesellschaft und in der bürgerlichen Sphäre jedenfalls. Die Ehen, die heute zehn, zwanzig Jahre bestehen, sind mit Erwartungen eingegangen worden, die einfach unrealistisch sind. Die Frauen, die nie berufstätig waren, kriegen Minderwertigkeitskomplexe und kümmern sich bis zum Ersticken um Mann und Kinder. Die Männer treten als Täter auf, weil ihnen das leichter fällt, als einfach nur zu leiden, und betrügen ihre Frauen. Dabei ist oft gar nicht Liebe im

Spiel, das merkt man dann, wenn es um Trennung geht: Da fangen die Männer dann an zu klammern. Aber bis dahin spielen sie den starken Macker. Die Frauen, die kein anderes Selbstbewußtsein haben als das der Ehefrau und Mutter, erziehen ein bißchen zuviel und lassen die Kinder ihre Hilflosigkeit spüren. Und die Kinder kriegen dann Schwierigkeiten in der Schule, fangen an zu klauen, nehmen Drogen... und werden als Fälle in die Therapie gezwungen. – Das ist natürlich sehr schablonisiert«, schloß ich entschuldigend ab, »aber im Kern stimmt es leider immer noch.«

Ich sah, daß Oliver feuchte Augen bekam. »Hat so etwas bei dir auch dahinter gesteckt?«, fragte ich vorsichtig.

Er fuhr sich mit dem Handrücken über die Augen und nickte. Da sollte man nicht zynisch werden... Das Leben war ja so einfach.

»Mein Vater ist ein Schwein«, stieß Oliver hervor. »Und er wird nicht klammern, das weiß ich genau. – Mich haben sie mit zwölf zum ersten Mal zu einem Psychologen geschickt, weil ich ›Schulverweigerer‹ war. Ein bißchen geklaut habe ich auch. Aber sie selbst sind nicht auf den Gedanken gekommen, daß mit ihnen was nicht stimmt... Meine Mutter saß zuhause und hat geheult, wenn mein Vater mal wieder nicht nach Hause kam. Und er hat seine Sekretärin anrufen lassen, er hätte noch einen Termin... Mit der hat er sicher auch mal was gehabt!«

Das dachte ich inzwischen auch.

»Und?«, fragte ich, »wie ging es weiter?«

»Die Therapie hat natürlich nichts gebracht«, sagte Oliver und grinste schief. »Ich bin auf eine Privatschule gegangen und habe dann mit Ach und Krach die Mittlere Reife gemacht. Und als ich rauskam, war ich reif für den Ersatzdienst. Da habe ich natürlich auch zuhause wohnen müssen, man verdient ja so gut wie nichts. Und die ganzen Jahre dasselbe Theater... Aber jetzt bin ich ihm auf die Schliche gekommen. Er hat ein Verhältnis mit einer Blondine, ich bin seinem Wagen gefolgt. Ich kenne die Wohnung, und da habe ich einiges unternommen... Vor drei Wochen dachte ich dann, jetzt ist endgültig Schluß. Aber mein Vater kommt immer noch nicht eher nach Hause, und meine Mutter hat immer noch verheulte Augen...«

So war das also, dachte ich. Oliver hatte beobachtet, aber nicht gut genug. Er hatte seinen Vater in das Haus gehen sehen, in dem die Schleswig wohnte, er hat ihn vielleicht einmal mit der Richtigen gesehen, aber schließlich hatte er von der Schleswig Namen und Adresse. Da hat er zwei und zwei zusammengezählt, aber bis zu vier hat es nicht gereicht. Und natürlich hat er sich dann nicht mehr die Mühe gemacht, alles zweimal zu überprüfen. Die Blondine hatte er ja nun.

Eine ziemlich banale Geschichte, und ziemlich traurig außerdem. Leider klärte es die Rolle des Lederjackenschlägers nicht. Aber meinen Auftrag hatte ich erledigt.

Das Telefon schrillte in meine Gedanken. Ich ging in den Flur und nahm ab.

»Hallo?«

»Ja, hallo, ich hätte gern den Gert gesprochen. Hier ist Lisa.«

»Sie haben sich verwählt«, sagte ich so leise wie möglich, und die Stimme sagte: »Entschuldigung« und hängte ein. Laut sprach ich weiter: »Monika! Nein, ich hab's nicht vergessen, um neun im *Horizont*, wie ausgemacht. Ja, ich hab noch Besuch, es wird vielleicht ein bißchen später...«

Dem Himmel sei Dank für die verirrte Lisa, dachte ich. Oliver tat mir leid, aber jetzt mußte ich allein sein. Vielleicht konnte ich irgendwann mal etwas für ihn tun.

Als ich zurückkam, hatte er schon nach seiner Jacke gegriffen. Er sah mich unsicher an.

»Ich gehe dann«, sagte er mit kleiner Stimme.

»Ja, ich danke dir sehr. Tut mir leid, daß es jetzt so abrupt ist, ich hatte die Verabredung ganz vergessen. Ist es wirklich okay, wenn ich den Wagen morgen mittag hole?«

»Klar«, sagte er weich. »Ich bin zwischendurch mal weg, ich muß über mittag noch etwas erledigen. Aber ich repariere das morgen früh, und wenn ich wegfahre, gebe ich meiner Mutter den Schlüssel.«

»Ich hoffe, ich treffe dich an«, sagte ich und meinte das Gegenteil. Mir war das Ganze so peinlich, daß ich in diesem Moment hoffte, Oliver Weldige niemals wieder zu sehen. An der Tür strich er mir scheu über die immer noch schmerzende Schulter. Das Leben kotzte mich an.

Als er weg war, atmete ich tief durch. Dann fiel mir meine Notlüge ein. Das *Horizont* war keine schlechte Idee. Eine ganz normale Studentenkneipe, gleich um die Ecke aber doch weit genug: Allein unter Menschen, Ruhe zum Nachdenken und weg von hier. Ich nahm meinen Schlüssel und ging.

Kurz nach ein Uhr kam ich aus dem *Horizont* nach Hause. Vorsichtig hatte ich, trotz leichter Weißweinnebelwand, die Straße beobachtet und in jede dunkle Ecke gespäht. Ich wollte mich nicht wieder von der Lederjacke überraschen lassen – diesmal womöglich in Begleitung. Ich hatte kein gutes Gefühl im Magen, aber das lag vermutlich an meiner Psychostrategie gegen Oliver. Ich kam mir immer noch ein bißchen schäbig vor, der Alkohol hatte nicht viel geholfen. In meiner rechten Hand hielt ich eine kleine Sprühdose mit rotem Autolack. Ein Kniff übrigens, den alle Frauen kennen sollten, bevor sie sich mit Tränengas ausrüsten: Lack hat ein höheres Eigengewicht, kann bei Gegenwind nicht so leicht die Verwenderin treffen und hinterläßt beim Angesprühten Spuren, die der Kerl kaum entfernen kann. Damit konnten schon einige geschnappt werden; ich weiß das noch aus meiner Zeit in Paris, als ich jeden Abend durch das achtzehnte Arrondissement nach Hause ging...

Die Haustüre war offen, das Licht im Treppenhaus brannte. Langsam ging ich die Treppe hoch, schloß die Wohnungstür auf – und fuhr zusammen. Schon im Flur lagen Trümmer, die nur äußerst unangenehmer Besuch hinterlassen haben konnte. Alle Lichter brannten. Verdammt, war da noch jemand in der Wohnung? Ich blieb atemlos stehen und hörte jemanden stöhnen. Wenn das Udo war... Abhauen konnte ich jetzt auf keinen Fall mehr. Ich rief nach Udo, erhielt aber keine Antwort, und ging jetzt zuerst in den überschaubaren Teil der Wohnung, an der Wand des Flurs entlang. In der Küche sah es aus wie auf dem Schrottplatz. Das Geschirr lag in Scherben am Boden, buchstäblich nichts schien heil geblieben zu sein. Ich griff mir eins der Tranchiermesser und tastete mich vor ins nächste Zimmer, gleichfalls zur Müllgrube mutiert. In meinem Schlafzimmer fand ich Udo, gekrümmt am Boden liegend. Von den Kerlen war Gott sei Dank nichts zu sehen. Udo sah übel aus. Neben ihm lag ein abgebrochenes Stuhlbein, und auf der anderen Seite hatte Jekyll seinen dicken, treuen Kopf in seine Achselhöhle gelegt. ›Meine beiden Helden‹, dachte ich sarkastisch mitten in diesem Schock: Jetzt war's endgültig Ernst geworden. Ich holte ein nasses Handtuch aus der Küche und legte es Udo auf die Stirn. Sein Auge war geschwollen und blutunterlaufen, und in seinem Mundwinkel klebte Blut. Nichts mit Küssen für längere Zeit.

In meinem Zimmer fand ich eine vom Unheil verschont gebliebene Flasche Cognac und flößte Udo einen Eierbecher voll ein. Allmählich kam er zu sich.

»Wer war das, Udo?« fragte ich, obwohl ich die Antwort wußte.

»Deine beiden Freunde«, flüsterte er. »Das Schwein mit der Lederjacke und noch so einer.«

»Wie ist es passiert? Was war denn los?«

»Ich kam so ungefähr um halb zwölf nach Hause«, fing er an, nachdem ich ihm ein Kissen untergeschoben hatte. »Ich wollte gerade die Wohnungstür aufschließen, als plötzlich die beiden Typen neben mir standen und mich links und rechts am Arm faßten. Einer hielt mir sein Schnappmesser an die Kehle und verlangte, daß ich die Tür öffnete. Ich nehme an, die haben einen Treppenabsatz höher darauf gewartet, daß jemand nach Hause kommt. Du hast Glück gehabt, Süße...«

Er lächelte schwach und stöhnte. Und meine Schuldgefühle wuchsen, wuchsen...

»Dann haben sie nach dir gefragt. Ich habe gesagt, du wärst heute früh für eine Woche nach Mallorca geflogen...«

»Keine schlechte Idee«, sagte ich.

»Die Idee ist sogar so gut, daß ich dafür eins aufs Auge bezogen habe«, grinste Udo, schon ein bißchen wiederhergestellt durch den Cognac und meine Zärtlichkeit. »Sie wurden ziemlich wütend, als sie begriffen, daß aus mir nicht viel herauszuholen war. Ich bin zwar kein Revolverheld, aber im passiven Widerstand ist man als alter Linker ja geübt...

Die vielen Sitzblockaden und Schweigemärsche...

Jedenfalls glaube ich, daß Jekyll meine Nieren gerettet hat. Der eine holte schon zu einem ziemlich gefährlichen Schlag aus, da sah er die Bulldogge unter dem gestreiften Heizkissen, eine Teeschale mit Milch daneben... Das fanden die beiden so komisch, daß ich irgendwie aus dem Rennen war. Von nun an nur noch Gewalt gegen Sachen.«

»Haben sie was gesucht, oder wollten die sich nur austoben?«

»Beides, glaube ich. Nacheinander nahmen sie sich jedes Zimmer vor und schienen es überhaupt nicht eilig zu haben. Jako ließen sie unangetastet, anscheinend sind sie tierlieb. Sie machten das ganz gemütlich, schlitzten die Sofasitze auf, rissen Schubladen heraus, warfen Geschirr auf den Boden…«

»Haben die auf mich gewartet?«

»So kam's mir vor. Ich bin verdammt froh, daß sie wenigstens Rosas Fotolabor übersehen haben. Irgendwann sind sie verschwunden, aber erst haben sie mich hier abgelegt und noch mal kurz und heftig zugeschlagen, der Abrundung halber. Du hast da anscheinend in ein Wespennest gestochen mit dieser Tante.«

»Und Jekyll?« fragte ich und strich dem kranken Engländer über den Kopf.

»Ach, Jekyll war entzückend. Er kroch zu mir an mein Lager und leckte mir das Blut von der Stirn. Ganz schön eklig«, grinste Udo, »aber ich konnte mich nicht mehr wehren. Ich bin schon froh, daß er nicht kotzen mußte. Das auch noch in der Achselhöhle…«

Ich beteiligte mich am Cognac und wurde auch gelassener. Allerdings: »Wir sollten überlegen, was wir tun, wenn die Typen heute nacht noch einen zweiten Besuch machen«, meinte ich.

»Was ist mit der Polizei?«

»Die rufst du am besten an, morgen früh. Wir brauchen eine Art Einbruchsmeldung für die Versicherung, für eine neue Reise zu Ikea. Aber ihnen die Geschichte zu erzählen, hat wenig Sinn.«

»Wieso soll das denn alles nur auf unsern schmalen Schultern lasten«, fragte Udo und rieb sich die blutige Stirn. »Wir haben doch jetzt wirklich was in der Hand, eine richtige Straftat mit Zeugen…«

»Die Polizei freut sich eher, wenn es Privatschnüfflern an den Kragen geht, Udo. Außerdem bringt es nichts: Die

Personalien von den Lederjacken haben wir nicht, und daß die Polizei die auftreibt, das glaubst du doch wohl selber nicht. Und schützen können die uns auch nicht.«

Der stöhnende Udo und ich verbarrikadierten erst mal die Wohnungstür. Beim geringsten Versuch, gewaltsam einzudringen, wäre die Pyramide aus Blechtöpfen mit lautem Geschepper zusammengefallen und hätte uns gewarnt. Dann suchten wir uns ein halbwegs unversehrtes Eckchen, und ich berichtete beim letzten Cognac die heutigen Ereignisse en detail. Ich erzählte ihm von der kaputten Familie Weldige samt christlicher Nächstenliebe und von dem bedauernswerten Oliver, der es ja nur schwerlich besser wissen konnte und auf seine Art versuchte, dem Alten eins auszuwischen und den heiligen Hort der Familie zu retten.

Udo ging es bereits deutlich besser; er hörte sehr aufmerksam zu. Irgendwo mußte der Schlüssel zu finden sein...

»Irgend etwas muß alle miteinander verbinden. Es muß einen Widerspruch geben, oder nicht?«

»Moment mal: Sagtest du nicht, daß der Pfaffe erzählte, er fahre nie nach Afrika, weil er die Impfungen nicht verträgt? Und sagte seine Frau nicht dasselbe von sich?«

Ich grinste: »Wenn ich uns beide so ansehe, mich nach durchwachter Nacht und dich in vorzeitig gealtertem Zustand, dazu unser freundschaftliches Rätselraten, dann muß ich glatt an die alte Marple und ihren Verehrer denken. Nur war das Intelligenzgefälle umgekehrt...«

Es schien, als hätte Udo etwas Wichtiges bemerkt, aber ich begriff die Funktion, die dieser Widerspruch haben sollte, nicht. »Ob Weldige irgendwie Dreck am Stecken hat?« Ich konnte es mir nicht so richtig vorstellen. »Verdienen müßte der doch genug. Geschäfte? Oder erpreßt ihn noch jemand, und wir wissen es nur nicht? Ob hinter ihm wohl jemand her ist? Er schien mir eigentlich nicht den

Eindruck zu machen.« »Irgendwas gibt es...« Wir rätselten und gingen alles noch einmal durch. »Einzig das ganze Elfenbein- und Maskenzeugs. Das stand bei allen rum, hast du doch gesagt. Bei der Schleswig, beim Pfaffen im Büro und bei ihm zu Hause – kann es dies sein?« »Wart' mal, das könnte es sein.« Irgendein unklarer Gedanke raste mir durch den Kopf. »Ich bin mir nicht sicher, aber ist es nicht verboten, Zeug dieser Art einzuführen? Und zwar nicht nur Kunstgegenstände – oder die nur in bestimmten Quoten – sondern...«

»Das, woran man kommt, wenn die Verbindungen einmal da sind: Elfenbein, Schildkrötenpanzer, Leopardenfelle...«

»Stimmt, ich habe darüber gelesen. Erstens hat es zugenommen in den letzten Jahren...«

»Zweitens sind die Behörden überfordert, weil sich niemand damit auskennt. Das Zeug geht sicher bergeweise durch den Zoll, an freundlichen Beamten vorbei.«

»Und der BMW ist doch von einer Spedition gemietet, sagst du. An irgendwelche Transporte ist auf jeden Fall zu denken.«

»Drogen?«

»Wohl kaum. Das Personal stimmt nicht, und aus Afrika kommen keine Lieferungen.«

»Und die Schleswig? Hat die den Pfaffen in der Hand? Ich meine, wir haben die Probleme ja erst, seit du für sie arbeitest...«

»Es wäre doch unlogisch, mir einen Auftrag zu geben, wenn sie selber Dreck am Stecken hat. Sie muß doch damit rechnen, daß ich dahinterkomme.«

»Die Menschheit ist seit Adam und Eva nicht klüger geworden.« Udos profunde Lebenskenntnis brach sich immer wieder Bahn.

»Eher käme ich auf die Idee, daß die Schleswig noch von anderer Seite bedroht wird – ohne daß sie selbst es weiß.«

»So ein Quatsch. Wie kann jemand bedroht werden, ohne davon zu wissen?«

»Vielleicht bin ich nur dazwischengekommen? Und die Typen begreifen den Fall als raffinierter, als er eigentlich ist. Vielleicht meinen sie, die Lady wollte sich durch mich schützen…«

»Das ist vielleicht möglich. Jedenfalls würde ich die Dame morgen mal besuchen.«

»Eben, ich wollte ihr ohnehin Bericht geben. Der eigentliche Auftrag ist schließlich abgeschlossen. Auf ihr Gesicht bin ich gespannt. Und noch etwas: Ich werde morgen meine Freundin Edith noch einmal beanspruchen müssen. Sie kann sicher was in Sachen Artenschutz herausfinden. – Morgen sollten wir auch die Bullen anrufen… Machst du das?« »Und was soll ich denen erzählen?« fragte Udo zu Recht. »Irgend etwas – die Typen hätten nur Geld und Schmuck gesucht, Klingelgangster. Das ist zur Zeit das Glaubwürdigste.«

Die Welt zog schon ihr Morgengrau auf, die Müdigkeit nach den letzten zwei knappen Nächten triumphierte doch noch.

Samstag, 19. Mai. Um halb sieben wachte ich auf. Die Typen waren nicht mehr aufgetaucht. Ich hatte zwei Stunden unruhigen Schlaf hinter mir und war zu aufgedreht, um mir noch einmal die Decke über den Kopf zu ziehen. Noch immer schmerzten mein Arm und das Schultergelenk. Ich spürte es gleich wieder, als ich den Kaffee aufsetzte und in den Scherben nach einem verwendbaren Trinkgefäß suchte. Nach dem Duschen würde ich die dicke Blutegelsalbe wieder auftragen müssen. Drei, vier Tage noch, dann müßte ich wieder o.k. sein.

Es war noch viel zu früh, um bei der Schleswig aufzukreuzen. Vor elf hätte es keinen Sinn. Wache Gesichter sind mir die liebsten. In ihnen drücken sich alle Reaktionen vielfältiger aus. Außerdem sind sie es, die man von vorherigen Begegnungen kennt. Was aber, wenn unsere Vermutung stimmte, und die Typen vielleicht letzte Nacht auch bei der Schleswig einen Besuch gemacht hatten?

Ich legte Udo einen Zettel vor die Tür, auf den ich geschrieben hatte, wohin ich heute und ungefähr wann gehen wollte, und daß ich alle zwei Stunden anrufen würde, um mich zu melden und Bericht zu geben. Wenn er das Telefon nicht abnehmen oder ich mich nicht melden würde, sollte der jeweils andere die Polizei verständigen. Ich nahm den Autoschlüssel aus der Tasche seiner Jacke, die an der Garderobe hing, und fuhr in die Myliusstraße. Es schien ohnehin besser, mit einem fremden Auto aufzutauchen.

Von außen konnte ich nichts Besonderes an Irene Schleswigs Wohnung erkennen. Es war, wenn unsere Theorie stimmte, auch eher unwahrscheinlich, daß die Schläger bei ihr aufgetaucht waren, bevor sie nicht wußten, welche Rolle ich spielte – und ob ich vielleicht noch immer einen Strich durch ihre Rechnung machen könnte. Dann fuhr ich weiter in mein Büro. Dort war alles in Ordnung. Keine Spuren an der Eingangstür, und die Fenster im Parterre waren ohnehin vergittert. Auf dem Anrufbeantworter war außer einer Nachricht meines Steuerberaters und ein paar privaten Gesprächen nichts gespeichert. Heute mußte ich dringend meine angemahnte Telefonrechnung bezahlen. Ich legte sie neben die Tür, damit ich sie beim Hinausgehen nicht vergessen würde. Dann setzte ich mich an die Schreibmaschine, um den Bericht für Irene Schleswig zu schreiben, so, wie ich es für jeden meiner Klienten tue. Auch die Rechnung machte ich fertig. Gut, daß ich bei der Garantiesumme gleich höher gegriffen hatte: so waren es immerhin fünfhundert Mark mehr, als mir nach vier Tagen Ermittlung allein zugestanden hätten. Ich wollte vorbereitet sein, wenn ich bei ihr aufkreuzte – und ihr keinen Anhaltspunkt dafür geben, daß ich längst mein eigenes Interesse an der Sache hatte. Was für ein schauerlicher Ausdruck: Blut gerochen.

Um halb neun weckte ich mit meinem Anruf unseren Wohnungsnachbarn. Oscar ist alternativer Architekt und schläft gern lang und tief, sein Nachtleben ist ausgedehnt. Entsprechend ärgerlich stöhnte er sein »Guten Morgen« in die Muschel, bis ich ihn kurz unterrichtet hatte, was vor sich gegangen war. Udo und ich hatten bei unserer Abmachung im Morgengrauen nicht daran gedacht, daß die Typen unser Telefon bei ihrer Säuberungsaktion natürlich mitbedacht hatten. Oscar hat Fell und Gemüt eines domestizierten Eisbären: nicht aus der Ruhe zu bringen, aber gefährlich, wenn es darauf ankommt. Und zuverlässig außerdem. Er versprach, mal nachzusehen, ob Udo noch den Schlaf der Gerechten schlief.

Als nächstes rief ich Edith an. Auch sie klang nicht begeistert über die frühe Störung, im Hintergrund hörte ich den Schrebergartenbiologen maulen und rumoren.

»Hör mal, Ruth, können wir vielleicht später nochmal telefonieren? Wir waren gestern abend auf einer Fete, und zwar bis in die Puppen –«

»Dann mach dir mal einen Kaffee, Schätzchen. Ich ruf dich in zehn Minuten wieder an. Es tut mir leid, daß ich dich stören muß, aber die ganze Sache ist brenzlig geworden.«

»Okay«, sagte sie knapp, »ruf mich gleich wieder an. Ich schicke Peter noch mal schlafen.« Es geht nichts über gute Freunde. Als nächste mußte Konstanze dran glauben.

Konstanze Schwab ist eine Studienfreundin von mir, jetzt Assistentin an der Uni, Fachgebiet Wittgenstein. Ein liebes und poetisches Geschöpf und zum Lebenskampfe völlig unbegabt, aber Inhaberin eines Autos und einer großen Wohnung in Sachsenhausen. Wahrscheinlich saß sie schon an ihrem Schreibtisch, Ludwigs dunkle Augen auf ihren blonden Scheitel gerichtet, und schrieb Bemerkungen über die »Bemerkungen über die Farben«.

»Konstanze? Hier ist Ruth Maria. Wie geht es dir und Ludwig?«

»Mir geht es prima, Ludwig unverändert. Wenn du samstags um neun Uhr früh anrufst, geht es bei dir wohl um Leben und Tod?«

Kluges Kind, meine Konstanze.

»Liebes, ich muß dich mal behelligen. Ich brauche eine unbescholtene Wohnung und ein unbescholtenes Auto für die nächsten zwei Tage. Du kannst dafür das meine haben, müßtest es aber abholen bei freundlichen Menschen, denen ich zur Zeit nicht begegnen will.« Ich erzählte ihr so wenig wie möglich, denn ich wollte ihr schöngeistiges Gemüt nicht beunruhigen. Sie versprach, mein Auto bei Weldiges auszulösen, meinen Namen nicht zu nennen und zu Oliver ausnehmend freundlich zu sein. Für den Abend versprach sie Spaghetti Marinara und ein großes, weiches, ruhiges Bett. Was wollte ich mehr?

Und jetzt war Edith wieder dran.

»Hast du den Kaffee fertig?«

»Klar. Wie möchtest du deinen, mit Zucker oder schwarz?« fragte Edith.

»Schwarz ist mir zumute... Gestern abend haben Udo und ich noch einmal Besuch bekommen, das heißt, Udo hat es alleine erwischt. Er liegt mit schmerzenden Nieren in einer Wohnung, für die meiner reaktionären Großmutter der Ausdruck Polenwirtschaft nicht genügt hätte. Wenn er Glück hat, findet er noch eine unzerschlagene Tasse für seinen Kaffee und eine frische Mullbinde für sein linkes, ins Dunkelrote changierende Auge...«

»Mach keine schlechten Witze. Hat man eure Wohnung auf den Kopf gestellt?«

»Auf den Kopf ist gar kein Ausdruck. Und vor allem nicht zurück auf die Füße. Der eine Schläger ist wiedergekommen, diesmal in Begleitung. Offensichtlich wissen diese beiden Halbwilden nichts von meinem Büro und halten sich deshalb an meine Wohnung. Die Frage ist nur, für wen die vier Fäuste tätig werden. Udo und ich haben einen Verdacht, den wir gern erhärten würden. Mir ist bei allen Beteiligten dieser wirren Geschichte aufgefallen, daß sie mit Elfenbein und afrikanischer Kunst ihre Wohnungen nahezu möblieren. Das heißt, es könnte irgend etwas in Richtung Elfenbeinschmuggel und Artenschutzgesetz dahinterstecken. Ich bin aber auf diesem Gebiet von lupenreiner Unwissenheit und dachte, daß du vielleicht einen Kollegen kennst, der sich in deine roten Haare verguckt hat und auf diesem Gebiet zufällig Profi ist... Im Ernst: Wir sind ratlos, wo wir die entsprechenden Informationen herbekommen. Wenn wir die haben, kann ich weiter recherchieren. Ich habe die Vermutung, daß wir da in ein ziemlich reges Wespennest gestochen haben. Dabei fiele natürlich auch für die beamtete Schläferschaft etwas ab...«

»Schmeichlerin. Vielleicht möchtest du gern mal eine Wochenendschicht von mir übernehmen, so zur Abwechslung mit Zuhältern ein Schäferstündchen halten. Die haben nie ein Messer dabei, sind grundsätzlich freundlich, wohlerzogen und niemals gewalttätig. Ihre Kirchensteuer führen sie regelmäßig ab, und beim Tee sprechen wir über Venedig im Winter und die Wolkenformationen Tiepolos.«

»Nicht schlecht, darauf komme ich mal zurück. Aber nur, wenn du mir einen Kontakt vermitteln kannst zu einem der dir hörigen Kommissare, der sich in Elfenbeinschmuggel und Artenschutz auskennt und beim Tee am liebsten darüber spricht.«

»Du hast Glück, daß Peter schläft, du beste aller Freundinnen. Denn tatsächlich gibt es einen solchen Kommissar, der mir zwar nicht hörig, aber sehr gewogen ist. Er heißt Ferdinand Kaiser und ist einer der Fähigsten in der ganzen Schläferschaft.«

»Und zufällig hast du auch seine Privatnummer?«

»Zufällig habe ich die, sehr wohl. Ich rufe ihn gleich mal an und bereite ihn seelisch darauf vor, daß meine illegale Freundin Ruth Maria von Kadell sich in Schwierigkeiten gebracht hat, deren Auflösung seiner Karriere dienlich sein könnte. So etwas schwebt dir doch in etwa vor?«

»Du bist unbezahlbar. Die Karriereförderung sollten wir allerdings noch im Hintergrund lassen, denn vielleicht entpuppt sich das Ganze ja als Hirngespinst meiner allzu regen Phantasie. Ich erwarte also den Anruf des jungen Liebhabers in etwa einer halben Stunde, okay?«

»Aber ja«, sagte meine Freundin Edith freundlich. »Wenn's denn der Wahrheitsfindung dienlich ist...«

Pünktlich um Viertel vor zehn rief Ferdinand Kaiser an. Ein weiterer schwarzer Kaffee half mir, Augen und Ohren geöffnet zu halten. Edith hat reizende Kavaliere, das Gespräch war ermutigend und ergiebig.

Und jetzt zu Irene Schleswig.

Mit einer Rechnung in der Tasche kann man aussehen, wie man will. Damit half ich meinem geschwächten Ego auf die Beine, als ein Blick in den Spiegel mir die Quittung für mehrere Nächte unruhigen Schlafs in zu geringer Qualität präsentierte. Ich hatte Ringe unter den Augen und war aschfahl, mein Hausarzt hätte mich sofort zur Kur geschickt. Leider war kein Arzt in Sicht. Also setzte ich ein grimassenhaftes Lächeln auf und fuhr mit dem Taxi in die Myliusstraße. Ich bat den Fahrer zu warten, als ich die geschlossenen Fenster sah. Und richtig: auf mein Klingeln öffnete niemand, vielleicht war sie im Laden.

»Zum Roßmarkt, bitte«, sagte ich und hoffte inständig, sie dort anzutreffen. Ich wollte diesen Fall hinter mich bringen, so bald und so gründlich wie möglich. Und ich wollte einen sauberen, gedeckten Scheck.

Vom Roßmarkt aus lief ich ein paar Minuten zu Fuß.

Irene Schleswigs Antiquitätengeschäft war nicht groß, aber nobel ausgestattet. Im Fenster ein ausgesucht schöner Rokokoschrank, in mehreren Vitrinen alter Schmuck, vor allem Jugendstil und Art Deco. Die Dame hat Geschmack, dachte ich.

Ein Glöckchen bimmelte zart, als ich meinen Turnschuh aufs Parkett setzte. Irene Schleswig kam aus einem Hinterzimmer auf mich zu und lächelte angestrengt und erstaunt. »Frau von Kadell... was führt Sie zu mir?«

»Ich habe Ihr Problem gelöst«, sagte ich. »Wenn Sie ein paar Minuten Zeit haben...«

Sie hängte ein Schild in die Glastür und führte mich ins Hinterzimmer. Auch dort, wie vorne, eine beachtliche Auswahl afrikanischer Kunst und seltener Elfenbeinstücke. Ich verlor kein Wort darüber und sah mich dafür gründlich um.

»Sie haben mein Problem gelöst...« Ihr Gesichtsausdruck zeigte eine unentschiedene Mischung aus Skepsis, Erleichterung und Nervosität.

»Das heißt, Sie haben herausbekommen, wer mich telefonisch bedroht und wer mich angefahren hat?«

»Ich denke schon. Wichtig ist aber die Frage, ob Sie in den letzten drei Tagen noch bedroht wurden, von derselben Person oder von einer anderen, in der alten Form oder in einer Variante.«

Sie sah mich ausdruckslos an. Hinter ihrer schönen Stirn arbeitete es. Warum war Irene Schleswig nervös?

»Nein, ich bin nicht mehr bedroht worden.«

»Weder in der alten noch in einer neuen Form?«

»Aber ich sage Ihnen doch: Nein!«

»Gut, dann können wir den Fall als abgeschlossen betrachten. Sie sind bedroht und angefahren worden vom

Halter des roten Fiat Uno, polizeiliches Kennzeichen F-T 69. Der Name des Fahrers ist Oliver Weldige.«

»Oliver Weldige?« Sie starrte mich verständnislos an. Dann begriff sie und brach in ein unschönes Lachen aus. »Der kleine Oliver... Wer hätte das gedacht!«

»Sie kennen ihn?«

»Oh, sehr flüchtig. Ich habe ihn einmal kurz im Büro seines Vaters angetroffen, vor einigen Monaten. Ein netter Junge eigentlich.«

Ich war froh über ihre Bemerkung.

»Ein sehr netter Junge«, sagte ich. »Er hat Sie verwechselt mit der tatsächlichen Geliebten seines Vaters, die ein bißchen weniger blond ist als Sie«, hier konnte ich mir ein kleines Grinsen nicht verkneifen, »und er wollte um seiner Mutter und der Familie willen dafür sorgen, daß das Verhältnis ein Ende nahm.«

»Merkwürdige Mittel, eine Familie zu retten.«

»Andere hatte er wohl nicht. Als Sie die Treffen in Ihrer Wohnung unterbanden, war es schon zu spät; sein Vater kam weiterhin spät nach Hause, war abwesend bei Tisch und so weiter. Er ist also davon ausgegangen, daß das Verhältnis weiterhin besteht.«

»Haben Sie eigentlich Beweise für Ihre Theorie?«

Die Frage ärgerte mich, aber sie war ihr gutes Recht.

»Der Fiat Uno ist sauber geputzt, aber es würden sich bei einer polizeilichen Untersuchung sicher noch Spuren sicherstellen lassen. Im übrigen gibt es so etwas wie ein mündliches Geständnis. Ob er es aber Ihnen gegenüber zu wiederholen bereit ist, wage ich zu bezweifeln.«

»Und wie kann ich mich zukünftig schützen?«

»Ich glaube nicht, daß er damit weitermacht. Sie könnten aber trotzdem entweder direkt mit ihm sprechen oder mit seinem Vater, das überlasse ich Ihrem psychologischen Feingefühl. Noch geht Oliver davon aus, daß niemand etwas davon weiß, übrigens auch seine Mutter nicht.«

Sie sah sinnend auf eine Barockuhr, in deren Zifferblatt Engel und Teufel miteinander rangen – oder spielten, das war schwer zu beurteilen. »Das könnte ich mir bei Frau Weldige auch nicht vorstellen.«

»Sie kennen sie?«

»Flüchtig, von einigen Parties her. Keine glückliche Frau.«

»Eine unglückliche Frau«, bestätigte ich. »Und von äußerst zarter Gesundheit.«

Sie sah mich ohne viel Interesse an. »Wie kommen Sie darauf?«

»Sie scheint eine schwache Konstitution zu haben. Wer schon die Impfungen nicht verträgt, die man zu einer Reise in die Tropen braucht...«

»Nun ja«, sagte sie gleichgültig, »das ist wohl kein Beweis für eine schwache Gesundheit. Derart allergische Reaktionen haben Menschen, die vital sind wie ein ganzer Kindergarten.« Damit hatte sie völlig recht.

Das Telefon schrillte in unsere Pause.

»Sie entschuldigen mich einen Moment«, sagte sie lässig und nahm ab.

»Antiquitäten Schleswig, guten Tag.«

»...Herr Konrad... nein, Sie stören überhaupt nicht. Ja, ich höre...«

Sie ließ keine Gelegenheit aus, mir zu zeigen, wer die Dienstleistende von uns beiden war. Aber ich hatte nichts gegen eine Pause. Und spitzte schließlich auch mit Spannung die Ohren.

»Eine Bantu-Maske... ja, da kann ich Ihnen im Moment leider gar nichts zeigen. Ja, ich gebe Ihnen recht, das wäre ein wunderbares Hochzeitsgeschenk, ein Fruchtbarkeitssymbol... aber lassen Sie mich einmal überlegen. Ich glaube, ich könnte Ihnen bald etwas anderes anbieten, eine wunderbare Elfenbeinarbeit von einem benachbarten Stamm, keine Maske, aber eine Figur, die jungen Frauen geschenkt wird zum Ausgang der Pubertät... nein, nicht groß, diese Figuren sind alle nicht höher als etwa dreißig Zentimeter... Nein, heute geht es leider nicht mehr, ich habe die Figur auch nicht hier. Sagen wir, gleich Dienstag gegen 17 Uhr? Sie kommen vorbei? Wunderbar.«

»Entschuldigen Sie«, sagte sie liebenswürdig und setzte sich wieder, »wir sind unterbrochen worden... Aber ich denke, wir können unser Gespräch ohnehin abschließen. Sie haben ja fabelhafte Arbeit geleistet, auch in Anbetracht des kurzen Zeitraums. Haben Sie Ihre Rechnung gleich mitgebracht?«

»Das habe ich. Auch einen Bericht über meine Tätigkeit.«

Sie öffnete die Rechnung und betrachtete sie mit wenig Aufmerksamkeit. Vermutlich hätte der Betrag auch dreimal höher liegen können.

»Wenn es Ihnen recht ist, nehme ich das gleich aus der Ladenkasse. Oder«, sie lächelte, »fühlen Sie sich unsicher mit soviel Bargeld in der Tasche?«

»Notfalls kann ich mich wehren«, grinste ich zurück, bemüht, auf ihre Ironie einzugehen. Obwohl mir nicht danach zumute war, mit dieser Dame zu scherzen.

Sie gab mir das Geld, abgezählt mit Mehrwertsteuer, auf Heller und Pfennig genau.

»Würde das eigentlich reichen«, fragte ich im Hinausgehen, »um eine Fruchtbarkeitsfigur zu erwerben? Noch ist das zwar nicht nötig, aber vielleicht komme ich irgendwann mal in die Verlegenheit.«

»Das kann ich mir kaum vorstellen«, sagte sie ohne jede Anzüglichkeit. »Aber um Ihre Frage zu beantworten: Das würde bei weitem nicht genügen.«

»Sie scheinen auf dieses Gebiet spezialisiert zu sein?«

»Oh, nicht eigentlich«, wehrte sie ab. »Hin und wieder mal die eine oder andere Plastik, für gute Kunden. Mein Gebiet ist der Barock, dafür habe ich wirklich einen Ruf.«

Wie geschickt sie die Wahrheit mit der Lüge verbinden konnte, und wieviel Spaß dieses Spiel ihr machte.

»Für Barock gibt es ja auch keine Artenschutzgesetze«, sagte ich so obenhin, »da ist das Geldverdienen weniger kompliziert.«

Sie sah mich stirnrunzelnd an.

»Wenn Sie gestatten, Frau von Kadell, würde ich jetzt gern das Geschäft wieder öffnen. Samstagmorgen ist eine gute Zeit für den Verkauf.«

»Aber gewiß doch«, sagte ich. »Ich will mich auch nicht länger aufhalten. Ich will heute noch nach Mallorca fliegen. Ich glaube, ich habe mir einen kleinen Urlaub verdient.«

»Viel Vergnügen«, sagte sie kalt. »Das Wetter ist sicher wunderbar.«

Die Ladenglocke schlug wieder zart an. Wir gaben uns auch diesmal nicht die Hand.

Sonntag, 20. Mai. Erst kurz nach elf Uhr wachte ich auf. Diesmal hielt mich kein Kater in inniger Umarmung, sondern Jekyll. Er schaute mich mit wachen Augen an und hechelte unternehmungslustig. Der alte Junge war wieder munter. Gott sei Dank. Wer weiß, ob ich ihn nicht noch brauchen würde.

Konstanzes Schlafcouch war sehr bequem gewesen; das Zimmer, in dem ich schlief, lag zum Grün des Innenhofs. Die laue Mailuft wehte angenehm zum offenen Fenster herein. Dank des faulen Sonntags war ich durch nichts gestört und hatte endlich ruhig und tief geschlafen, mehr als vierzehn Stunden am Stück. Eine Wohltat sondergleichen. Der Entschluß, nicht in der ramponierten Wohnung zu übernachten, war richtig gewesen. Hoffentlich ging es Udo in seiner Schlafstätte ebensogut.

Die Sonne trat mit warmen Strahlen ins Fenster, ich blinzelte zum Deckenstuck und räkelte mich wohlig. Viel Zeit nahm ich mir zum Wachwerden. Das helle Türkis der Wände erinnerte mich an Griechenland. Jeden Gedanken, der die letzten Tage betraf, schob ich erst einmal beiseite. Ich träumte mit Jekyll im Arm vor mich hin und beschloß, wenn diese Malaise durchgestanden sein würde, endlich einmal wieder Ferien zu machen. Ein paar Wochenendtrips hatte ich mir in den letzten zwei Jahren geleistet. Aber zwei, drei Wochen am Stück, das war lange her. Man hakt sich so am Gedanken fest, immer da sein zu müssen, wenn man sich zur Selbständigkeit entschlossen hat und noch nicht am Ziel seiner Wünsche ist. Am Ziel der Wünsche... jemals?

In der Wohnung rumorte Konstanze. Sie kam mit einer Tasse Kaffee herein und setzte sich an mein improvisiertes Bett. Konstanze ist die Liebenswürdigkeit in Person. Sie fragt nicht viel und tut dafür meist das Richtige, noch bevor darum gebeten wird. Eine besondere Gabe, die jeder schätzt, der gerade umhegt und umsorgt werden will wie ich.

»Hat Udo sich schon gemeldet, Stanzerl?«

»Nein«, sagte sie und streichelte Jekyll ausgiebig, der sich das gerne gefallen ließ.

»Erwartest du seinen Anruf?«

Das tat ich allerdings. Wir hatten vereinbart, uns ab elf Uhr anzurufen und kurz durchzugeben, ob alles in Ordnung sei. Dann wollte ich ihm mein weiteres Vorgehen berichten und festlegen, in welchen Intervallen ich mich melden würde.

Ich war froh, daß er noch nicht angerufen hatte und verdrängte meine Sorgen. Ich phantasierte mit Konstanze noch eine halbe Stunde über den schönsten Urlaubsort für Faulheit, Lektüre, guten Wein und feines Essen... Erst unter der Dusche machte ich meinen Plan.

Ich würde mich in Konstanzes 2 CV setzen, mich vor Irene Schleswigs Haus postieren und warten. Ab fünfzehn Uhr würde ich mich bei Udo melden. Auch mußte ich mich verkleiden. Im Falle, daß sich die Typen ebenfalls in der Myliusstraße herumdrücken sollten, sollten sie nicht die geringste Chance haben, mich wiederzuerkennen. Durch das Wasserrauschen hindurch rief ich Konstanze und bat sie, mir aus meiner Tasche das Marilyn-Blond zu bringen. Wie gut, daß dieser liebenswürdige Geist um mich herum war an diesem Morgen. Sie brachte mir die Tube und meldete, daß Udo soeben angerufen habe.

Ich rührte die Paste in einem Glasschälchen an. Der stechend künstliche Geruch erinnerte mich an meine Pubertät, da hatte ich des öfteren den Versuch gemacht, mein Kastanienbraun in ein Wasserstoffsuperoxyd zu verwandeln. Glücklicherweise gab es mittlerweile diese Tönungswäschen »Verändern Sie Ihren Typ«. Für genau zwei Tage, dachte ich grimmig – und keine Stunde länger. Ich shamponierte mich ein und zupfte, während die Paste einwirkte, energisch an meinen dichten, dunklen Augenbrauen. Perfekt würde es nicht sein, aber welche falsche Blondine sah schon perfekt aus?

Irene Schleswig fiel mir ein. Die ließ sich auch die Augenbrauen färben, bei ihrem Coiffeur. – Nun, so mochte es gehen. Nicht gerade eine Verbesserung, aber auch kein Grund, die Hände über dem Kopf zusammenzuschlagen. Und in jedem Fall »ein völlig anderer Typ«.

Um viertel vor eins fuhr ich in der motorisierten Hollywood-Schaukel von Konstanze los. Das Rollverdeck war geöffnet, und dieser schwangere Rollschuh mit Gummizugmotor schnurrte Jekyll und mich friedlich in die Myliusstraße. Eitel Sonnenschein herrschte, die Nebenstraßen waren wie ausgestorben, Parkplätze jede Menge – der Bürger fährt halt immer noch in aller Regelmäßigkeit hinaus aufs Land. Vom BMW keine Spur. Na gut. Ich wußte, daß ich mit Pech den ganzen Nachmittag umsonst warten würde – und vielleicht noch länger. Vierzehn Uhr: nichts.

Fünfzehn Uhr: nichts. Ich sollte Udo anrufen.

Kaum zehn Autos waren bisher vorbeigekommen. Keine Besonderheiten, keine Wiederholungen. Die gepflegten Vorgärtchen standen still in der Wärme und putzten ungemein. Überall warteten niedrige, schmiedeeiserne Gartentörchen darauf, von einem Sonntagsflaneur geöffnet zu werden. Stramm hingen sie zwischen roten Sandsteinmäuerchen, über Berberitzen- oder Tuyagrün. Reinlich geputzte Klingeltafeln. Ziersimse, Reliefs. Alles stand im üppigen Licht – ich hatte mir diese weitläufigen Wohnungen schon damals in Paris erträumt. Und damals war ich genauso darauf angewiesen, sie mir von der Straße aus vorzustellen. Ich konnte sie zwar nach meiner Phantasie einrichten und bewohnen, doch jedesmal, wenn ich an ihre tatsächlichen Bewohner denken mußte, lief mir ein kleiner Schauder über den Rücken... Udo anrufen!

Ich ließ den Anlasser der Ente wiederholt aufjammern, bis sie endlich ansprang. Als Beobachtungsposten war die Parklücke zwar ideal, doch bedurfte es eines enormen Muskeltrainings, um sie wieder zu verlassen. Der Wendekreis war der eines Lastwagens. Die zarte Konstanze muß Oberarme wie ein Fernfahrer haben, dachte ich.

An der nächsten Kreuzung blickte ich in den Rückspiegel, schon ganz routinemäßig. Der dunkelblaue BMW! Ich war wie elektrisiert und fluchte wie ein Kutscher. Um ein Haar hätte ich sie verpaßt!

Ich überlegte kurz, was tun. Mit Udo hatte ich eine Viertelstunde Überziehungskredit bei den Anrufen vereinbart. Die würde ich sicher brauchen. Ich fuhr zurück – in meiner heutigen Verkleidung und in Konstanzes 2 CV würden sie mich nicht wiedererkennen. Noch saßen sie außerdem hinter ihren getönten Scheiben. Ich fuhr zügig an ihnen vorbei und parkte ein, stieg aus, hielt mich rechts und zog in die nächste Hofeinfahrt ab. Jekyll hatte ich unters Lenkrad kommandiert.

Ich war sicher, daß sie mich nicht erkannt hatten, sie opferten mir nur einen kurzen Blick und stierten dann weiter zu Irene Schleswigs Wohnung hoch. Ich spähte aus der Hauseinfahrt und wartete. Mein Versteck war gut. Ein hoher Oleander stand im angrenzenden Vorgarten. Aus der Nähe war der Blick durch seine Blätter möglich, aus fünfzig Metern Entfernung war das Grün jedoch blickdicht. Was ich sehen mußte, sah ich.

Keine fünf Minuten später stiegen die beiden Typen aus. Die Lederjacke erkannte ich sofort wieder. Der andere trug durchgehend Jeansblau, Jacke wie Hose. Er postierte sich neben der Haustür, als die Lederjacke nach kurzem Klingeln hineinging. Er hatte wohl irgend etwas Kluges durch die Gegensprechanlage geantwortet, daß die Schleswig ihm öffnete. Oder waren sie wirklich Partner? Mir schien die Schleswig eher »dran« zu sein. Egal, mir blieb nichts anderes übrig. In jedem Fall mußte ich wissen, was da vor sich ging.

Aus einer der Mülltonnen im Hinterhof fischte ich eine volle Plastiktüte. Als der Jeanstyp sich eine Zigarette ansteckte, huschte ich zum Auto zurück und ließ Jekyll heraus. Möglich, daß sie den Hund wiedererkannten, aber nicht wahrscheinlich. Schließlich lag er nun nicht mehr mit glasigen Augen unter einem gestreiften Heizkissen, und eine Bulldogge sieht aus wie die andere. Wozu hatte ich einen scharfen Hund, wenn nicht für solche Situationen? Ich leinte Jekyll der Form halber an und stolzierte auf das Jugendstilhaus zu. So auffällig, wie es nur ging. Ich hatte gesehen, daß Haus- und Gartentür angelehnt blieben, als die Typen das Terrain betraten. Der Kerl in Jeans sollte wohl darauf achten, daß die Lady keinen weiteren Besuch erhielt. Selbstbewußt stieß ich das Gartentor auf und fischte nach einem Schlüssel in meiner Jackentasche. Vor dem Jeanstyp blieb ich stehen.

»Was suchen Sie denn hier?« fragte ich in sein rötliches, ordinäres Gesicht.

»Ich warte auf jemanden«, dröhnte er.

»Die Klingeln sind draußen am Trottoir«, herrschte ich ihn an. »Warten Sie bitte dort.«

Der Kerl gehorchte aufs Wort – er mußte, wenn er das Spiel seines Compagnons nicht gefährden wollte. Ich drückte die Tür hinter mir sehr sorgfältig ins Schloß.

Jekyll leinte ich ab und gab Kommando, sich nicht zu mucksen, wenn er mit mir die Treppe hochschlich – direkt in die Höhle der Löwin.

Im ersten Stock stellte ich fest, daß ich vor lauter Nervosität die Mülltüte immer noch mit der linken Hand umklammerte. Ich stellte sie am Geländer ab.

Ich war froh darüber, daß es die Treppe eines ›besseren‹ Hauses war, die ich jetzt sehr vorsichtig in den zweiten Stock hinaufging: Keine einzige Stufe knarrte. Dazu bereit, bei der leisesten Annäherung von unten oder von oben – was wahrscheinlicher war – mit harten Schlägen blitzschnell zu antworten. Meiner Vorteile war ich mir vollkommen bewußt: Wiedererkennen konnte mich die Lederjacke kaum, und den Überraschungseffekt hatte ich auf meiner Seite. Neun Stufen, Halbetage, Treppenkehre: nichts. Weitere neun Stufen vor mir, acht, sieben, sechs. Von hier aus konnte ich schon zur Wohnungstür sehen. Sie war angelehnt. Das war sehr gut. Letzte Stufe, noch dreieinhalb Meter bis zur Tür.

Schnell mußte ich sein können – schneller als einer aus der Wohnung flüchen konnte.

Neben die Tür postiert versuchte ich, etwas durch den schmalen Spalt zu sehen oder zu hören. Bevor ich in die Wohnung konnte, mußte ich mir zumindest ein vages Bild der Situation da drinnen machen können. Ich legte mir den

Grundriß der Wohnung aus der Erinnerung meines ersten Besuchs bei der Schleswig zurecht: Wohnungstür, ein vier Meter breiter Flur, der ohne Wand in das riesige Wohnzimmer führte, alles offen und großzügig gehalten. Vorne gleich zwei Türen links und zwei rechts. Flur und Wohnzimmer bildeten ein unproportioniertes T. Die ganze Wohnung war mit einem teuren Kokosteppich ausgelegt. Ein weiterer Vorteil: Es läßt sich auf diesen Dingern sehr leise gehen, andererseits sind sie griffig genug, um einen guten Stand zu bieten, was bei einer Keilerei von größter Wichtigkeit ist.

Ich schob die Tür einen Spalt weiter auf. Im Flur tat sich nichts. Aber im Wohnzimmer hörte ich die Schleswig und die Lederjacke sich anfauchen.

»Hör mal genau zu, Puppe. Wenn du meinst, du könntest uns die Sache mit deinen blöden Drohungen vermasseln, dann hast du dich getäuscht!«

»Ich habe keine Ahnung, was Sie meinen!«

»Mach' keinen Scheiß! Kannste dir nicht denken, weshalb ich hier bin?«

Na endlich, jetzt wurde es ja richtig spannend. Ich hätte mir kaum träumen lassen, so einfach zu meinen Informationen zu kommen. An langes, taktierendes Gequatsche hatte ich gedacht, und jetzt plauderten die einfach aus, was ich wissen wollte. Der Kerl fuhr fort, als von der Schleswig keine Antwort kam.

»Weißt du, ich bin hier, um dich zu warnen, Puppe. Und weil du dich bisher für besonders schlau gehalten hast, werde ich dich ein bißchen deutlicher warnen!«

»Was wollen Sie von mir? Ich weiß wirklich nicht, was...«

»Die Lieferung am Montag willst du auffliegen lassen, Süße. Weißt du jetzt, von was ich spreche? Dein Anteil ist groß genug.« Redet mal schön weiter, dachte ich mir. Andererseits mußte ich endlich aus dem Treppenhaus verschwinden. Es wäre zu blöd, wenn einer der anderen Hausbewohner mich hier fände und die Sache vermasseln würde. Ich schob mich in den Flur und schloß so langsam und leise, wie ich nur konnte, die Wohnungstür. Es war nichts zu hören. Irene Schleswigs Schlüssel steckte innen. Ich schloß ab, ließ den Schlüssel aber stecken. Sollte ich wider Erwarten mit dem Dreckskerl nicht fertig werden können, hätte ich eh keine Chance abzuhauen. Unten stand schließlich sein Spezi. Verdammt, und Udo mußte ich dringend anrufen, es war zehn nach drei! Er saß bestimmt schon bibbernd neben dem Telefon. Langsam schlich ich mich an der linken Wand durch den Flur, dem Wohnzimmer näher. Jetzt konnte ich die Lage übersehen. Irene Schleswig saß, die Hände auf den Rücken gefesselt, auf dem Thonet-Stuhl, den Rücken zu mir gewandt. Die Lederjacke schlitzte gerade mit dem Stilett einen der auf dem Kopf hängenden deutschen Malermeister auf. Das tat der Schleswig sicher weh, billig war der Schinken nicht. Alles mußte jetzt blitzschnell gehen. Geräumige Wohnungen sind Gott sei Dank eine bessere Kampffläche. Ich gab Jekyll ein Zeichen, sich zu setzen. Er ist meine Kampfsportübungen gewöhnt und würde mich erst verteidigen, wenn ich seinen Hundebiß brauchte. Wir haben das lange geübt, und ich kann mich auf ihn verlassen – auf seine Diskretion und auf seine großen Zähne.

Mit drei, vier großen Sätzen stand ich in der Mitte des Raums. Die Lederjacke drehte sich blitzschnell um.

Ein Messerangriff sieht oft gefährlicher aus, als er ist, weil der Angreifer sich zu sehr auf seine Waffe konzentriert. Und hier kam noch meine neue Haarfarbe hinzu – Blondinen wirken ungefährlich.

Im Abstand von zweieinhalb Metern blieb er vor mir stehen und zischte mich an: »Na, setz dich lieber hin. Sonst kannst du was erle...«

Weiter kam er nicht. Mit der linken Hand blockierte ich seine messerführende Rechte, zog in derselben Sekunde mein Knie hoch und vollzog einen ganz ordinären Hüftwurf. Ich trat sein Messer weg und ließ mich zu Boden gleiten. Mit beiden Händen hatte ich noch seinen Arm im Hebel. Im Kampftraining hätte der Gegner jetzt abgeklopft und damit seine Niederlage eingestanden. Der Kerl hier aber wollte noch einmal aufmucken. Ich dachte an Udos dunkelrote Augenschwellung, an seine Nierenschmerzen und unsere ramponierte Wohnung, zog durch und brach ihm den Arm im Ellbogengelenk. Er schrie jämmerlich und mir eine Spur zu laut. Ich mag keine Typen, die brüllen, nachdem sie den großen Macker markiert haben – noch dazu mit einem Messer. Ein präziser Schlag schickte ihn dann ins Land der Träume.

Die Schleswig staunte mich mit großen Augen an.

»Ich bin's, Kadell«, sagte ich zu ihr. »Ist Ihr Telefon in Ordnung?«

»Ja, aber...«

Ich hörte ihr gar nicht erst zu. »Wo ist es?« bellte ich sie an.

»Da drüben«, sagte sie und wies mit dem Kopf in den anderen Wohnzimmerflügel.

15 Uhr 14. »Bei Fischer«, Udo hatte sofort abgenommen.

»Ich bin's...«

»Ich wollte gerade...«

»Ja, ich weiß. Hör zu, ich muß mich beeilen. Ruf sie an, wenn ich mich in einer halben Stunde nicht gemeldet haben sollte. Bin bei der Schleswig.«

Grußlos legte ich auf.

»Gott sei Dank, daß Sie gekommen sind«, sagte Irene Schleswig bleich.

Ich antwortete nicht, sondern ging zur Garderobe und nahm einen Seidenschal vom Haken.

»Mund auf!« brüllte ich sie an.

Vor Schreck gehorchte sie, und ehe sie es sich hätte anders überlegen können, hatte ich sie mit dem Schal geknebelt. Sie murrte vor sich hin und sah mich mit angstverzerrtem Blick an.

Der Lederjacke trat ich aus Rache für Udo noch einmal kräftig in den Hintern.

Der Kerl krümmte sich im Halbschlaf.

Ich zerrte seinen massigen Körper durch den ganzen Raum ins Badezimmer. Er wog sicher seine achtzig Kilo, und ich mühte mich wie ein Ackergaul vor dem Pflug. Die Tür schloß ich zweimal ab, den Schlüssel legte ich, nachdem ich Irene Schleswig befohlen hatte aufzustehen, auf die Sitzfläche ihres Stuhls und drückte sie wieder nieder. Dann lief ich zur Wohnungstür, schloß sie auf, lehnte sie an und drückte auf den Türöffner. Hinter der Tür blieb ich stehen, Jekylls Leine in der Hand. An Kraft waren mir diese Typen allemal überlegen. Aber für eine Schrecksekunde konnte ich sorgen.

Mein Trick funktionierte. Ich hörte Schritte im Treppenhaus. Die Tür wurde vorsichtig aufgeschoben, und sofort schlug ich ihm Jekylls Hundeleine ins Gesicht. Der Rest war dann beinahe ein Kinderspiel. Ein gezielter Hebel ließ sein Schultergelenk dezent knacken. Danach hieß ich ihn schlafen gehen. Und auch er bekam sein Zimmer für sich allein. Ich mußte meinen Vorteil nutzen.

Von der Schleswig kam kein Mucks. Nur große Augen schauten mich an.

Ich nahm ihr den Knebel ab.

»Keine Angst. Ganz ruhig. Schreien Sie nicht.«

»Danke«, quälte sie aus sich heraus.

»Nichts zu danken«, antwortete ich. »Von welcher Lieferung sprach der Kerl?«

»Elfenbein aus dem Senegal«, hauchte sie.

Unsere Vermutung stimmte also.

»Wie sind Sie an dem Geschäft beteiligt?«

Es war fast hörbar, wie sie zögerte. Ich überlegte, ob ich ihr drohen sollte. Dieses Weibsstück war hartgesotten. Aber ihr irrender Blick durch die halbverwüstete Wohnung überzeugte sie eines Besseren.

»Wenn Sie mir einen Schluck Wasser geben«, gurgelte sie, »werde ich Ihnen alles erzählen.« Ich holte aus der Küche einen Saft für sie und für mich und nahm ihr die dilettantisch geknüpften Fesseln ab.

»Erzählen Sie. Aber erzählen Sie diesmal alles, und erzählen Sie's kurz. Wir müssen diese vier Fäuste hier bald wegschaffen.«

»Nach dem Tod meines Mannes hatte ich ein kurzes Verhältnis mit Horst. Daraus entspann sich eine Geschäftsbeziehung. Mein Mann, Horst Weldige und ein Dritter hatten zusammen Elfenbein und originale afrikanische Kunst importiert, die auszuführen lange schon verboten ist. Die Lieferungen wurden immer auf den Namen meines Mannes angeliefert, der ein großes Importgeschäft betrieb. Horst wollte von mir nur meine Unterschrift für die Zustellurkunden, damit alles weiterlaufen konnte wie bisher und sein Name da heraus blieb. Wir einigten uns, daß ich als Gegenleistung regelmäßig interessante Stücke erhalten würde, die ich in meinem Laden verkaufen konnte. – Ich bin tatsächlich auf Barock spezialisiert, aber ich habe auch genügend Kunden für Exotika, und so lief das Geschäft über lange Zeit befriedigend. Anfangs waren es nicht mehr als zwei, drei Lieferungen pro Jahr, aber in den letzten Jahren nahm die Frequenz stark zu. Schließlich fing die Sache an, mir über den Kopf zu wachsen. Ich war nicht sicher, wie umfangreich und wie gefährlich das Geschäft eigentlich war, aber es mußte sich um große Summen handeln. Lange Zeit wollte ich die wirklichen Dimensionen auch nicht zur Kenntnis nehmen –«

Das glaubte ich ihr sogar. Für sie ging es um ein lohnendes Zusatzgeschäft, und sicher wollte sie ihr Gewissen nicht mit Einzelheiten belasten. Ein Typ wie Irene Schleswig ist sowieso insgeheim und tief im Unterbewußten der Ansicht, daß das, womit man Geld verdient, nicht eigentlich schlecht sein kann.

»Weiter.«

»Ich habe dann ein paarmal versucht, mit Horst zu sprechen; er sollte sich auf Dauer einen anderen Partner suchen. Ich hätte einzelne Stücke gern weiterverkauft, aber ich wollte nicht am Ende geradestehen müssen für große Delikte.«

»Ist er darauf eingegangen?«

»Nur sehr widerwillig. Vor allem sein Kompagnon hat wohl Schwierigkeiten gemacht.«

»Wer ist das?« fragte ich gespannt. Ich hatte schon einen Verdacht.

»Ein Spediteur, Hans Binzel.«

Aha. »Dieser Spediteur leitet die Transporte?«

»Ja, das nehme ich an. Ich habe ihn nie gesehen.«

»Wie ging es weiter?«

»Horst wird seit einigen Wochen erpreßt. – Es geht um Zahlungen, die er in bar postlagernd hinterlegen soll. Bisher ist er zweimal diesen Drohungen nachgekommen, aber dann wurde ihm die Sache zu heiß. Ich weiß nicht, wer ihn erpreßt, er jedenfalls ist der Ansicht, daß ich es wäre. Ich habe versucht, ihm klarzumachen, wie absurd das ist. Aber es ist ihm wohl niemand anderes eingefallen.«

»Also haben Weldige oder Binzel diese Schläger auf Sie angesetzt?«

Sie nickte schwach. »Das ist die einzig mögliche Erklärung.«

»Wissen Sie, was ich nun machen werde?«

Sie sah mich angsterfüllt an. Wie die meisten Frauen hatte sie panische Angst vor jeder Art von körperlicher

Gewalt, und ich war für sie eine Respektsperson, seit ich mit diesen Kerlen fertiggeworden war. In ihren Augen sah ich die Vision, mit diesen Zeitgenossen in ihrer Wohnung eingesperrt zu sein. Davon würde ich sie aber erst befreien, wenn ich alles wußte, was ich in Erfahrung bringen wollte.

»Ich könnte Sie schützen – aber nur, wenn Sie mir genug erzählen werden, daß die ganze Bande hochgehen wird. Sie wissen, daß Sie selbst nicht ungeschoren davonkommen werden.«

Sie nickte ergeben. »Wenn Sie es schaffen, mich mit heiler Haut aus dieser Chose rauszubringen, ist mir das eine Menge Geld wert. Mir kann nicht viel passieren –«

Das hatte sie sich also schon ausgerechnet.

»Ich werde eine Geldstrafe bekommen, vielleicht auch zwei Jahre auf Bewährung. Schließlich habe ich nur mitgemacht. Für Horst steht mehr auf dem Spiel –«

Wie klein sie war, und wie schnell sie begann mit diesem Ritual von Entschuldigungen und Verniedlichungen, das jeder Ermittler bis zum Erbrechen kennt. Aber mir konnte es egal sein.

»Wenn ich Sie hier heil rausbringen soll, erwarte ich von Ihnen einen Scheck über zehntausend Mark. Darin ist die Gefahrenzulage eingeschlossen – und einige weitere Kleinigkeiten wie Arztrechnungen und eine demolierte Wohnung.«

»Sie können sich auf mich verlassen«, nickte sie gar nicht überrascht. »Geben Sie mir bitte mein Scheckbuch aus meiner Handtasche, sie steht auf dem Tisch.«

Ihre Panik mußte unbeschreiblich sein.

Sie schrieb einen Scheck aus und gab ihn mir.

»Kommen wir zur Sache: Wann und wo findet die Lieferung statt?«

»Montagabend. Soweit ich weiß, erfolgt die Übergabe auf dem Gelände von Binzel. Die genaue Uhrzeit weiß ich nicht. Ich glaube, Horst ist immer dabei. Er liefert mir normalerweise das, was für mich interessant sein könnte, direkt am nächsten Tag in das Geschäft.«

Ich sah auf die Uhr. Udo mußte dringend benachrichtigt werden.

Dann kramte ich eine andere Nummer hervor. Frankfurter Infrastruktur...

Auch Karen ist eine gute Freundin. Sie hat ein kleines Häuschen auf dem Land und teilt sich das Grün mit einem Schaf und einer Ziege. Da draußen krähen nur die Hähne, öffentliche Verkehrsmittel sind weit und breit nicht zu bekommen. Und Karen war da.

Ich ging mit dem Apparat in die Küche, nachdem ich Irene Schleswig eingeschärft hatte, auf ihrem Thonet-Stühlchen samt Schlüssel sitzen zu bleiben. Und sie war auch viel zu verängstigt, um sich ohne meinen Begleitschutz zu rühren.

»Karen, ich schicke dir in etwa einer Stunde eine Bekannte vorbei. Sie ist in einen ziemlich brisanten Fall verwickelt und muß für zwei Tage irgendwo untertauchen, wo sie niemand kennt. Sie ist zur Zeit etwas verwirrt, und es kann sein, daß sie zwischendurch verschwinden will. Das darf aber nicht passieren. Also, tu mir einen Gefallen, bezieh ihr eine Matratze und laß sie nicht allein mit dem Telefon, bis ich mich Dienstagmorgen bei dir melde.«

Ich schrieb einen Zettel mit Karens Adresse.

»Sie packen jetzt schnell zusammen, was Sie bis Dienstag brauchen könnten. Ich nehme an, im Laden haben Sie eine Vertretung? Sonst bleibt er eben zu. Also holen Sie Ihre Zahnbürste und etwas zum Anziehen. Sie fahren zu einer Freundin von mir aufs Land, dort sind Sie absolut sicher.«

Sie sah mich aufrichtig dankbar an.

Ich überlegte fieberhaft, was ich mit den beiden Typen machen sollte. Laufen lassen war unmöglich, die ganze Sache wäre aufgeflogen. Mittlerweile verfluchte ich mich, mit Ediths Kollegen bisher nur telefonisch Kontakt aufgenommen zu haben. Er hätte mir vielleicht helfen können – jetzt hatte ich diese beiden Typen allein am Hals und mußte sicherstellen, daß sie bis Dienstag unschädlich blieben.

Plötzlich hatte ich eine Eingebung. Eine Lady wie Irene Schleswig...

»Haben Sie eine Pistole?«

Sie nickte. »Ja, noch von meinem Mann. Ich weiß aber nicht, wie das Ding funktioniert...«

»Keine Angst«, sagte ich. »Sie brauchen sie nicht zu benutzen. Wo liegt sie?«

Sie nahm ein kleines, zartes Aquarell von der Wand und öffnete den Tresor dahinter. Die Pistole war sogar geladen – obwohl ich immer noch hoffte, das nicht beweisen zu müssen.

Ich rief die Taxizentrale an.

»Haben Sie fertig gepackt?«

Sie stand schon da mit ihrem Köfferchen, eine hilflos wirkende Gestalt. Etwas fiel mir noch ein. »Haben Sie Schlaftabletten im Haus? Whisky?«

Schlaftabletten holte sie aus einer Küchenschublade, den Whisky aus einer fahrbaren Bar. »Was haben Sie vor?« traute sie sich zu fragen.

»Das geht Sie nicht das Geringste an«, schnauzte ich und schob sie zur Tür. Es hatte schon geklingelt, Sonntagnachmittag ist für die Taxen nicht allzuviel los. »Ich rate Ihnen nur, sich in dieser Wohnung nicht blicken zu lassen, bevor Sie von mir Bescheid bekommen. Sie mucksen sich überhaupt nicht, bis der ganze Schlamassel vorbei ist. Am Dienstag werden Sie abgeholt.«

Ich sagte ihr nicht, von wem. Aber das konnte sie sich vielleicht denken.

Neben dem Thonet-Stühlchen lagen noch die Seile, mit denen die beiden die Lady so dilettantisch gefesselt hatten. Das würde ich jetzt besser machen – müssen.

Ich schloß die Tür zum Jeanszimmer auf und sah den Knaben, immer noch bewußtlos, auf dem Boden liegen. Ich fesselte ihn gründlich an Händen und Füßen und ließ dann der Lederjacke, die, fast bewußtlos, auf den Badezimmerkacheln stöhnte, dieselbe Prozedur angedeihen. Dann ließ ich in ein Eimerchen kaltes Wasser laufen, löste dreizehn Tabletten in Whisky auf, holte die Pistole und hockte mich neben die Lederjacke. Der Schläger wog mindestens achtzig Kilo, und Muskeln waren auch vorhanden. Da mußte man schon in die Vollen greifen, was Beruhigungsmittel angeht – und Hirnschädigung war bei beiden eigentlich ausgeschlossen...

Ich pfiff Jekyll zu mir, um den bedrohlichen Eindruck zu erhöhen. Dann goß ich der Lederjacke das Eimerchen Wasser über den Kopf, Ohrfeigen waren mir zu eklig. Er blinzelte verwirrt und zuckte, als er die Pistole sah.

»Du hast richtig gesehen«, sagte ich grimmig. »Ich bin vierfach bewaffnet: Jiu-Jitsu-Erfahrung, eine Pistole, eine englische Bulldogge und Intelligenz. Also halte die Schnauze und tu, was man dir sagt.«

Er sah hinreichend beeindruckt aus. Zudem stöhnte er vor Schmerzen.

»Du wirst dein Bewußtsein sofort wieder verlieren«, tröstete ich ihn und hielt ihm das Glas an die Lippen. »Du wirst das jetzt trinken und ein bißchen schlafen. Und zwar sofort.«

Ich überwand mich und hielt ihm den Specknacken fest, damit er trinken konnte. Das halbvolle Glas stellte ich ab, der Rest war für den zweiten Kandidaten. Ich ließ ihn gefesselt liegen, mit Jekyll an seiner Seite, und verarztete den himmelblauen Vollidioten nebenan auf die gleiche Weise.

Dann rief ich Udo an und gab einen Lagebericht – im wahrsten Sinne des Wortes. Aber ich brach das Gespräch früh ab. Seine Stimme hatte so zärtlich geklungen, daß mir klar wurde, wie erschöpft ich eigentlich war und was inzwischen hinter mir lag. Aber ich durfte jetzt nicht tun, wonach mir zumute war: mich in seine Arme fallen lassen und schlafen, reden, verwöhnt werden. Ich mußte unbedingt heute abend noch diesen Schmuggelspezialisten treffen – morgen kam die Lieferung.

Beide Knaben pennten inzwischen tief und fest. Ich zog ihnen die Personalausweise aus den Jackentaschen und nahm das bißchen Bargeld an mich, das sie bei sich hatten: Eine Anzahlung für die Stereoanlage. Dann schloß ich beide Zimmertüren sorgfältig ab, verschloß die Wohnungstür von außen und machte, daß ich wegkam.

In der Pizzeria nebenan holte ich mir eine frische Capriciosa, einen bunten Salat und eine Flasche Chianti; und für Jekyll ein Kalbsteak mit Salbei. Wir ließen uns friedlich nieder, und ich atmete kräftig durch. Mein Schreibtisch sah aus wie eine reichgedeckte Parkbank, nachdem ich mich verköstigt hatte: Abfallpapier, Rotwein, Kontoauszüge, Briefumschläge, Pizzareste. Aus dieser Müllhalde heraus rief ich den netten Fahnder an, den ich glücklicherweise in seiner Sonntags-Siesta erwischte. Wir vereinbarten ein Treffen um 18 Uhr 30 im entsprechenden Terrain, dem Zoo. Dann rief ich noch mal Udo an, das letzte Salatblatt im Mund.

»Hat man jetzt dich geknebelt?« war seine erste Frage.

»Mit Pizza, Blödmann, auch Götter müssen essen!«

»Madame haben gute Laune, ist wohl prima gelaufen?«

»Würde ich schon sagen, bis jetzt. Rate mal, was ich in der Tasche habe!«

»Den Stoßzahn eines Elefanten, schätze ich.«

»Aber keineswegs, obwohl die Richtung stimmt: Es handelt sich um Tierisches. Ich habe jede Menge Mäuse!«

»Wie viele?«

»Zehntausend«, flüsterte ich stolz.

Udo pfiff scharf durch die Zähne. »Wie das?« fragte er.

»Na ja, ganz verdient habe ich sie noch nicht. Aber wenn alles gut läuft, kann ich den Scheck morgen einlösen. Die Schleswig ist jetzt ja auf dem Land, in Sicherheit, und das ist ihr zehntausend Mäuse wert...«

»Und wo werden Mylady die investieren?«

»Das wird sich zeigen«, sagte ich gedehnt. »Aber wenn Ricks Café noch steht, lädt eine junggebliebene Miß Marple dich dort sicher gern auf einen Schampus ein...«

Wir vereinbarten ein neues Telefonsystem. Die Wielandstraße jedenfalls würden wir beide noch bis Dienstag meiden. Dann waren Aufräumarbeiten dringend erforderlich, zuvor noch die genaue Bestandsaufnahme für die Versicherung. Die Herren in den grauen Anzügen... Da fiel mir Ferdinand Kaiser ein. Ob der auch einen trug? Egal, ich mußte los.

Sonntag ist Familientag im Frankfurter Zoo, geöffnet bis 21 Uhr. Es wuselte noch immer von Kindern, die ihre Eltern von einem Blickfang zum anderen zogen, aber die große Masse schob sich schon langsam eisschleckend zum Ausgang. Ich erinnerte mich an die Zoobesuche als Kind: Zweimal hatten meine Eltern es fertiggebracht, mit uns drei Kindern zusammen in den Zoo zu gehen. Ich weiß nicht mehr, was sie aushalten mußten, aber jede weitere Bitte schlugen sie mit attraktiveren Angeboten ab.

Ferdinand Kaiser erkannte ich sofort. Er trug natürlich keinen grauen Anzug, sondern stand in einer verwaschenen Jeans, einem weißen Hemd und einem schwarzen Leinenjackett vor dem Elefantengehege und drehte den Tieren den Rücken zu. Ich stellte mich direkt neben ihn und schaute ins Gehege. Zwar hatte er mich angesehen, als ich auf ihn zukam, aber angesprochen hatte er mich nicht. Und das war auch kein Wunder, denn meine Personenbeschreibung am Telefon hatte die Marilynverwandlung nicht berücksichtigt. Das war mir aber erst aufgefallen, als ich in den Rückspiegel der Ente blickte, nachdem ich sie mühsam eingeparkt hatte...

Ich sah ihn mir genauer an. Er war vielleicht einsfünfundachtzig groß, trug kurze dunkle Haare in Fasson und wirkte für einen Polizisten ziemlich intelligent.

»Comment appelle-t-on ces grosses bêtes là-bas?« fragte ich ihn in meinem schönsten Französisch. Dabei hielt ich meine Gitanes in der Hand und bat noch um Feuer. »Un instant, s'il vous-plaît«, antwortete er und ging auf einen rauchenden Familienvater zu. Mit dessen Feuerzeug kam er zurück.

»Ich rauche nicht, Frau von Kadell«, sagte er zu meiner Überraschung. »Warum haben Sie sich die Haare gefärbt?« Er gab das Feuerzeug zurück und grinste. »Mich zu erkennen war ja nicht so schwer. Jedenfalls stimmte die Haarfarbe noch...«

»Und immerhin bringt es nur ein Polizist fertig, mit dem Rücken zur Attraktion zu stehen, wenn er auf jemanden wartet«, gab ich den Tadel süffisant retour. »Und ohne Wasserstoffblond könnte ich Ihnen jetzt nicht viel berichten. Es war ein erkenntnisreicher Tag. Mein Teil der Arbeit ist beinahe abgeschlossen, und für Sie bleibt außer ein paar Festnahmen nicht viel zu tun...«

»Dann haben Ihre Vermutungen sich bestätigt?«

Ich konnte meinen Stolz kaum unterdrücken. »Allerdings, und zwar so präzise, daß wir am Montag die Lieferung hochgehen lassen können...«

»Dann schießen Sie mal los«, sagte er und sah mich aufmerksam an. »Ich bin gespannt...« An seinem Blick war unschwer zu erkennen, daß er es tatsächlich war.

Montag, 21. Mai.
Es gibt Situationen, da sind Intuitionen so gut oder schlecht wie jeder andere Hinweis. Wenn die Sachlage nicht klar ist und man an einer Gabelung oder gar Kreuzung von Möglichkeiten steht, bastelt man sich entweder Rationalisierungen für seine Ahnungen – die oft genug rein emotional sind – zusammen, oder man folgt ihnen gleich. Ich hatte mich für letzteres entschieden; in Anbetracht der Zeit konnte ich es mir nicht erlauben, erst mal Argumente dafür zu suchen, warum ich Frau Kussner in eine Gasse treiben wollte.

Ich postierte mich um zwölf Uhr mittags mit Jekyll an der Leine in Sichtweite des Diakonischen Werkes. Wenn ich das Gebäude richtig in Erinnerung hatte, gab es dort keine Kantine. Frau Kussner würde vermutlich irgendwo auswärts Kaffee trinken und eine Kleinigkeit essen. Ihre Taille sah zwar nach Joghurt aus, aber ich hielt sie nicht für den Typ Sekretärin, der aus einem Plastikbecher vor der Schreibmaschine seinen Lunch mümmelt. Und ich hatte mich nicht geirrt.

Um 13 Uhr 30 verließ die Sekretärin von Dr. Weldige das Bürogebäude und strebte in Richtung Innenstadt. In einer Seitengasse gab es ein kleines, nettes Bistro, und ich vermutete, sie würde dort einkehren. Ich wartete einige Minuten, dann folgte ich ihr hinein. Sie saß an einem kleinen Tisch in der Ecke, hatte die Karte schon beiseite gelegt und zündete sich gerade eine Zigarette an. Mit freudig überraschtem Gesicht steuerte ich sie an.

»Frau Kussner, das ist aber ein Zufall! Ich wollte einkaufen gehen und mich zuvor mit einem Kaffee stärken, und da treffe ich Sie!«

Ohne zu fragen, setzte ich mich auf das Stühlchen ihr gegenüber und hieß Jekyll, sich neben dem Tisch hinzusetzen. »Das ist mein Hund«, stellte ich ihn vor, »rassereine englische Bulldogge. Jekyll heißt er. Man fühlt sich als Frau heute einfach sicherer, wenn man einen zuverlässigen Begleiter hat – vor allem abends.«

Sie sah nicht begeistert aus, hatte aber aus Höflichkeit den Moment verpaßt, den Willen zum Alleinsein zu bekunden.

»Sind Sie oft hier?« spulte ich los. »Können Sie mir vielleicht etwas empfehlen?«

»Hin und wieder esse ich hier. Die Suppen sind ausgezeichnet, vor allem die Lauchcremesuppe mit Käse.«

Also doch kein Joghurt. Das machte es auch einfacher.

Ich bestellte eine Lauchcremesuppe und ein Mineralwasser.

Um den Faden nicht reißen zu lassen, plapperte ich gleich weiter. »Sie haben mich sicher zuerst gar nicht erkannt, mit der neuen Haarfarbe? Ich habe mich als Modell zur Verfügung gestellt, einem neuen Friseur bei mir um die Ecke.« Hoffentlich sah es auch für ihre kritischen Augen einigermaßen glaubhaft aus. »Aber ich glaube, das hätte ich besser bleiben lassen. Was meinen Sie?«

»Ich glaube auch, Ihre natürliche Haarfarbe steht Ihnen besser«, gab sie zu.

Wenigstens log sie nicht aus Passion. Das machte es auch einfacher...

»Wirklich ein schöner Zufall, daß ich Sie hier treffe. Ich hätte mich nämlich gern noch etwas länger mit Ihnen unterhalten, als ich Freitag da war.« Daß ich dazu nur hätte länger bleiben müssen, hatte sie hoffentlich vergessen. Sie sah mich fragend an.

»Zum einen ist mir diese wunderschöne Plastik aufgefallen, die auf Ihrem Schreibtisch steht. Ich interessiere mich sehr für diese Ethno-Kunst, und das ist ein besonders schönes Stück. Und dann – ich hoffe, Sie nehmen mir diese persönliche Bemerkung nicht übel – hat sie mich auch an Sie erinnert. Eine hohe, grazile Figur, sehr beeindrukkend.«

Sie lächelte jetzt wirklich. Es war nicht zu dick aufgetragen, schließlich war es auch die Wahrheit.

»Ja, das haben mir schon mehrere Leute gesagt. Vielleicht ist wirklich etwas dran. Es ist ein Geschenk, und war wohl auch so gedacht.«

Jetzt bloß nicht weiterfragen, dann würde sie sich wieder verschließen wie eine Auster. »Ich stelle mir Ihre Tätigkeit sehr interessant vor, Sie haben sicher mit vielen verschiedenen Menschen zu tun.«

Was für ein dämliches Geschwätz. Aber ich hatte den Verdacht, daß Sylvia Kussner sich überhaupt nur auf ein Gespräch einließ, wenn es so harmlos wie möglich begann.

»Ja, da haben Sie recht. Es ist wirklich interessant. Herr Dr. Weldige hat weitgespannte Verbindungen, und ich arbeite sehr selbständig.«

»Er reist ja vermutlich auch viel, um diese ganzen Entwicklungsprojekte zu prüfen. Hat er denn hauptsächlich mit Afrika zu tun?«

»Seine Arbeit erstreckt sich auch auf Südamerika und Asien«, entgegnete sie würdevoll.

»Das muß wirklich faszinierend sein. Betreuen Sie die ausländischen Gäste auch, wenn sie das Diakonische Werk in Frankfurt besuchen?«

Hier war sie an ihrer Ehre gepackt.

»Natürlich, das kommt vor. Aber hin und wieder fahre ich auch mit ins Ausland, das heißt früher bin ich mit Herrn Dr. Weldige des öfteren gereist.«

Da lag also der Hase im Pfeffer. Die Sekretärin hat nicht nur als Geliebte ausgedient, sondern wird auch noch um ihre Reisen gebracht. Das konnte einen Menschen schon verbittern. Wir löffelten unsere Lauchcremesuppen, die wirklich ausgezeichnet waren.

»Herr Dr. Weldige hat mich sehr beeindruckt«, nahm ich das Gespräch wieder auf. »Er ist ja enorm erfolgreich.«

»Ja, er ist sehr tüchtig«, sagte sie sachlich.

Zumindest hatte ich den Eindruck, daß ihre weibliche Eifersucht weitestgehend abgebaut war. Ich hatte mich so jung und klein gemacht, daß es ihr schwerfiel, in mir weiterhin eine Konkurrenz zu sehen.

»Arbeiten Sie schon lange in dieser Position?«

»Seit fast zehn Jahren«, sagte sie. »Als ich kam, hatte Herr Dr. Weldige seine Tätigkeit gerade erst aufgenommen.«

»In diese Zeit fiel ja auch, soweit ich unterrichtet bin, ein Umbruch in der kirchlichen Entwicklungshilfe. Das muß enorm spannend gewesen sein.«

Sie lächelte mich nichtssagend an. Ich wußte, daß ich die Wahrheit aus ihr nicht herausbekommen würde – aber meinen Verdacht konnte ich immerhin erhärten.

»Ich finde das sehr großzügig von Herrn Dr. Weldige, daß er Sie auf seine Reisen mitgenommen hat«, begann ich dümmlich. »Ist denn seine Frau auch mal mitgeflogen?«

Sie sah jetzt wirklich konsterniert aus. »Frau Weldige verträgt die Impfungen nicht«, sagte sie ein bißchen patzig. »Und mit Großzügigkeit hat das eigentlich nichts zu tun. Schließlich habe ich viele Verhandlungen unterstützt und organisiert.«

Der Kellner kam vorbei, und sie bat um die Rechnung. »Sie entschuldigen mich jetzt sicher«, sagte sie kalt. »Ich habe heute noch viel zu tun.«

»So geht es mir auch«, sagte ich liebenswürdig. »Ich wünsche Ihnen noch einen schönen Tag.« Und das war keineswegs gelogen.

Um fünfzehn Uhr war ich mit Ferdinand Kaiser in seinem Büro verabredet. Ich wäre gern noch in der Myliusstraße vorbeigefahren, um mich vom Dauerschlaf der beiden Schläger zu überzeugen. Die Dosis müßte genügen, aber schließlich konnten die beiden noch alles zum Platzen bringen. Doch die Zeit reichte nicht mehr. Auch wollte ich erst das Gespräch im Präsidium abwarten – vielleicht war jetzt der Zeitpunkt gekommen, mit offenen Karten zu spielen.

Am Bankenturm hielt ich, soviel Zeit mußte sein. Der Scheck brannte mir in der Jackentasche, und ich wollte ihn gern einlösen, bevor Irene Schleswig ihre volle Freiheit wiedererlangt hatte. Manche Frauen sind wankelmütig.

Der Schalterbeamte war so wohlerzogen und so gut bezahlt, daß er nicht mit der Wimper zuckte, als er mir den Betrag in großen Scheinen rüberschob. Jetzt stand ich da mit zehntausend Mark in der Tasche, in dieser glitzernd protzigen Schalterhalle und wußte nicht, wohin damit... Noch zur Ökobank zu fahren, dazu reichte die Zeit wahrhaftig nicht. Und bei den Öffnungszeiten der Genossen war ich mir auch nicht sicher. Also einfach in die Hosentasche damit und ab.

Während der Fahrt dachte ich darüber nach, wie einfach der ganze schräge Fall jetzt vor mir lag. Den Beweis für meine letzte Vermutung konnte ich nicht erbringen, aber das würde sich klären – so oder so. Das Wichtigste war jetzt nur, die Bande hochgehen zu lassen. Gemischte Gefühle beschlichen mich, wenn ich an den Kirchen- und Weltmann Weldige dachte: ein übler Nimmersatt, aber trotzdem ein interessanter Fall. Und wahrhaftig nicht ohne Charme. Und wann begegnet man schon einem Januskopf, außerhalb der Literatur?

Es war bereits kurz nach drei, also ließ ich den Wagen im Parkverbot stehen, direkt vor dem Präsidium. Kaiser konnte seinen Kollegen schließlich einen Wink geben. Im

Zoo hatte ich ihm nur den Fall selbst berichtet, aber alle genauen Angaben vermieden: Keine Uhrzeit, keine Namen, keine Ortsangaben. Ich mußte darauf hoffen, daß er mir trotzdem glaubte. Der Zoo als Treffpunkt war eine gute Wahl gewesen. Hier sah man die Kreaturen; er wußte, daß es mir ernst war und hatte mir im Gegenzug versprochen, daß ich bei allen weiteren Schritten dabei sein würde. Als Private ist man im allgemeinen schnell ausgebootet, wenn es spannend wird – daß man Tips und Informationen von anderer Seite erhalten hatte, ist in Beamtenhirnen meist schnell vergessen. Da mußte ich auf der Hut sein, sogar bei einem netten Mann in Uniform – wie beispielsweise Ferdinand Kaiser.

Der Portier meldete mich an und drückte den Türöffner. Kaiser holte mich am Aufzug ab.

»Gut steht Ihnen die Uniform«, entfuhr es mir. Ich lächelte süffisant, um das Kompliment zu schwächen: daß er gut aussah, wußte er vermutlich selbst nur zu genau.

Er überhörte es auch geflissentlich.

»Alles klar?« fragte er. »Keine Zweifel?«

»Nein, keine«, sagte ich bestimmt und sah mich aufmerksam um, als wir sein Büro betraten. »Übrigens, in meinem Büro ist es schöner...«

»Selbstverständlich«, lächelte er gewinnend. »Aber beklagen Sie sich nicht. Sie fangen ja heute bei uns an...«

»Denkste«, sagte ich spontan und biß mir auf die Lippe. Das Du war mir so rausgerutscht. Und wieder überhörte er.

Auf seinem Tisch lag ein Stadtplan, daneben ein Block mit Notizen. »Müssen wir uns sputen«, fragte er, »oder haben wir noch Zeit für einen Kaffee?«

»Wenn wir uns sputen«, antwortete ich, »haben wir noch Zeit für einen Kaffee.«

Ein junger Blonder brachte uns zwei Plastikbecher mit schwarzer Instantbrühe.

»Ich hoffe, Ihre Leute sind besser als der Kaffee«, bemerkte ich.

»Keine Sorge«, lächelte er, »sie sind's.«

In knappen Worten schilderte ich jetzt nicht nur die Zusammenhänge, sondern nannte auch die genauen Daten. Der Morgen hatte mir über die Termine noch Klarheit gebracht.

»Um 16 Uhr 50 landet die Maschine«, schloß ich meinen Bericht. »Es ist damit zu rechnen, daß eine Stunde später der Container in der Abfertigung ist, allerspätestens um 19 Uhr. Am Frankfurter Flughafen arbeiten die Zollbeamten wegen des hohen Frachtaufkommens rund um die Uhr. Der ganze Papierkram dauert noch eine halbe Stunde. Die Frachtübergabe kann also frühestens um 18 Uhr erfolgen, spätestens um 19 Uhr 30.«

»Na prima«, sagte Kaiser und lächelte zufrieden. »Dann kann ich jetzt meine Leute holen.«

»Zwei Worte noch«, unterbrach ich ihn. Ich berichtete ihm kurz von den schlafenden Schlägern in der Myliusstraße und von der ruhiggestellten Irene Schleswig bei meiner Freundin Karen. »Es wäre doch beruhigend, die beiden Herren«, ich legte ihm die Pässe auf den Tisch, »schon im Präsidium vorzufinden, wenn wir nach getaner Arbeit hier eintrudeln. Und ich würde auch gerne sichergehen, daß uns weder die beiden Kerle noch Irene Schleswig einen Strich durch die Rechnung machen...«

Ich gab ihm die Schlüssel zur Schleswig-Wohnung und nannte ihm Karens Adresse. Dann rief er den jungen Blonden zu uns herein, erzählte ihm in Kurzform, worum es ging, und übertrug ihm die ehrenvolle Aufgabe, die Schläfer und Irene Schleswig ins Präsidium zu verfrachten – in welchem Zustand auch immer. Jetzt kamen auch die uniformierten Kollegen hinzu, und ich hatte Gelegenheit, aus Kaisers Mund eine gewissermaßen offizielle Version der inoffiziellen Ergebnisse zu vernehmen.

»Wir sollten jemanden an den Schaltern haben«, sagte schließlich einer der Inspektoren.

»Schicken Sie einen der Neuen«, gab Kaiser zurück, »und geben Sie Anweisung, daß das Empfängerpapier entsprechend gekennzeichnet wird! Sonst erkennt er's nicht.«

»Ein Lastwagen braucht eine weitere Viertelstunde, bis er den Container geladen und das Zollgelände verlassen hat. Es muß jemand mit einem Funkgerät bereitstehen und uns den Wagen melden...«

»Vermutlich wird er einen Lastwagen der Spedition Binzel melden...«

»Richtig«, grinste Kaiser mich an. »Anfangsgehalt viertausendfünfhundert plus Weihnachtsgeld.«

»Aber Vierzig-Stunden-Woche und unbezahlte Überstunden am Wochenende und abends.«

»Auch wiederum richtig«, grinste er nun noch breiter.

»Kämmerer, du sorgst dafür, daß der mit dem Funkgerät einen Arbeitsanzug trägt.«

»Hm, hab' ich mir gedacht«, knurrte der.

»Der Lastwagen wird von drei Wagen beschattet. Kämmerer, das machst auch du.«

»Alle drei Wagen fahren? Ein oder zwei würden auch genügen...«

»Drei hab' ich gesagt. Es darf nichts schiefgehen. Kapiert?«

»Kapiert«, knurrte Kämmerer.

»Der knurrt immer so«, zwinkerte Kaiser mir zu, »aber er macht dann wenigstens, was man ihm sagt.«

»Du kannst mich...«, knurrte Kämmerer.

»Später«, sagte Kaiser. »Wir müssen damit rechnen, daß sie versuchen, sich herauszuwinden. Wenn sie klug genug sind. Ich zumindest tät's. Fuchs, Sie sorgen dafür, daß uns sofort Bescheid gegeben wird, wenn die Spedition Binzel einen LKW als gestohlen meldet. Dann brauchen wir innerhalb der nächsten halben Stunde eine Liste aller seit gestern als gestohlen gemeldeten LKW aus dem Umkreis von, sagen wir 500 Kilometern. Viele können's nicht gewesen sein.«

»Wie viele sind wir?« Kaiser zählte auf: »Fuchs mit Jung, Kämmerer und Weinmann, Götz mit Arnold, die beiden Neuen im Flughafen. Wenn die fertig sind, sollten sie zu Meyer und Zilus rein und hinterher. Das sollte eigentlich reichen.«

»Wer fährt mit dir?« fragte Kämmerer und schaute nur, als würde er knurren.

»Frau von Kadell«, antwortete Ferdinand Kaiser kurz, und Kämmerer knurrte tatsächlich. »Was'n nu los?«

»Halt's Maul«, sagte Kaiser ruhig.

»Patriarchalischer Führungsstil?« Ich schaute Ferdinand Kaiser an.

»Wenn's sein muß«, sagte er. »Das schleift sich so ein bei diesem Job. Und wenn's denn Ihren Vorurteilen dient...«

»Vorurteile habe ich nicht«, antwortete ich schnell und verlegen. »Ich weiß ja gar nichts über Sie.«

»Ich dafür von Ihnen um so mehr«, grinste er und zählte auf: »Selbständig seit gut einem Jahr, etwa dreißig Jahre alt. Vorbildung für diesen Job mehr als ungewöhnlich...«

Mir blieb ein bißchen die Luft weg. »Woher wissen Sie...«

»Da staunen Sie, wie? Aber ich will Ihnen umstandslos die Wahrheit sagen. Bei unserem ersten Telefonat erschien mir Ihre Stimme so angenehm, daß ich Ihre Freundin und meine Kollegin Edith noch einmal zurückgerufen habe... Und freundschaftliche Diskretion wird durch berufliche Arrangements manchmal in Mitleidenschaft gezogen.«

»Und was wissen Sie noch?«

»Sonst weiß ich wirklich nichts. Aber das würde ich gerne ändern. Zu diesem Zweck werde ich Sie in den nächsten Tagen einmal zum Essen einladen – meinem Beamtengehalt angemessen natürlich.«

»Okay, das läßt sich machen. Aber eine Bedingung stelle ich: Die Aktion heute muß klappen.«

»Aber klar«, sagte Ferdinand Kaiser. »Ohne Beförderung käme ja doch nur McDonalds in Frage.«

Seit 17 Uhr 30 waren alle Beamten unterwegs; sie bezogen ihre Posten, wie vorher festgelegt. Eine Polizistin war an den Abfertigungsschaltern des Zolls postiert, und das Zollbegleitformular wurde besonders gekennzeichnet. Einer der neuen Polizisten wurde in einen alten Arbeitsoverall gesteckt, der so große Taschen hatte, daß sein Walkie-Talkie hineinpaßte, ohne aufzufallen. Die anderen saßen jeweils zu zweit in den Autos und warteten, schwätzend, rauchend oder lesend. Beim nächsten Fall wird eben gar nichts anders, er wiederholt sich nur zum x-ten Mal...

Alle warteten auf den Startschuß. Die Beamtin an den Schaltern mußte das erste Zeichen geben, und endlich hörten wir sie: »Axel an 2!«

Sie schien sich hinter die Kulissen zurückgezogen zu haben. »Am Schalter steht ein Mann, vielleicht 38 bis 40 Jahre alt, dunkle Jacke, einsachtzig groß, dunkelblond. Wartet auf Abfertigung.«

»Donnerwetter... okay. Hettie, du kannst dich ins Auto verkriechen, aber erst, wenn sicher ist, daß er mit den Papieren zurück zum LKW gegangen ist.«

»Verstanden.«

Und wieder warten, warten... Es war jetzt 19 Uhr 10.

»Axel an 2«, kam diesmal ein Flüstern, »nicht antworten, bin nah dran. Kennzeichen F-IJ 819, Mercedes Laster 913 mit Plane. Am Steuer sitzt einer mit Hornbrille und vermutlich Cordjacke, der andere ist zugestiegen. Sie fahren jetzt los. Ihr könnt den Neuen dahinten abziehen.«

»Danke, Hettie«, sagte Kaiser leise und zufrieden. »Und

jetzt ab in die Karre, wir brauchen dich noch! Scheint eh' alles Frauensache zu sein, in diesem Fall!«

»Kommt nicht so oft vor bei euch?« fragte ich Kaiser.

»Was meinst du?« sagte er fahrig. Er war jetzt nervöser als ich.

»Bleiben wir doch dabei. Scheint einfacher zu sein«, bemerkte ich beiläufig.

»Wobei?« fragte er und starrte aus der Windschutzscheibe.

»Lieber Ferdinand, warum so aufgeregt?«

»Ach so, hab' verstanden. Na denn... Mal horchen, was der Neue berichtet.«

Da war er schon in der Leitung. »Axel 12 an 2, sie laden auf, LKW Spedition Binzel, zwei Ty...«

»Wo bist du?« schnauzte Kaiser ins Funkgerät.

»Ach, geht schon, zehn Meter weg.«

»Halt's Maul und schleich in deine Karre. Und merk dir alles, bis du reden kannst!«

Kaiser schien seinem Neuen nicht viel zuzutrauen. »Es ist wie überall in diesem Job«, sagte er beschwichtigend, als hätte er meine Gedanken gelesen. »Am Anfang ist alles ein Abenteuer. Aber was die lernen müssen, ist Geduld und wieder Geduld, und die Langeweile muß auch erst mal gefressen werden. Eigentlich tut sich ja kaum was Neues, außer es kommen Delikte hinzu, die bisher keine waren, wie hier. Wahrscheinlich wie im Alltag einer Privaten: Eine Eifersuchtsgeschichte löst die andere ab...«

Dazu wäre mir jetzt eine Menge eingefallen. Aber ich schob die privaten Gedanken gewaltsam beiseite.

»Axel 7 an 2«, meldete sich das erste Fahrzeug. »Der LKW hat uns gerade passiert.«

»Seid froh, daß er das nicht hat... Erklär ich euch später, ihr Rüben, bleibt jetzt dran, aber Vorsicht! Ende!«

Ich mußte lachen. Kaiser war hellwach.

»Axel 5 bis 10 in losem Abstand anschließen«, gab er

schon wieder Kommando. »Auf Empfang bleiben. Wir halten mindestens einen Kilometer Abstand, verstanden? Bestätigung einzeln und nacheinander!«

Nach etwa zwei Minuten Schweigen legte Ferdinand Kaiser den ersten Gang ein und fuhr los. Schiefgehen konnte jetzt eigentlich nichts mehr.

Die Nacht war nicht besonders hell. Gegen Abend waren dunkle Wolken aufgezogen, der erste Wärmestau über dem schwülen Frankfurt. Gewitterwolken, die mit der sinkenden Dämmerung das Zwielicht noch kürzer machten. Ich genoß die Fahrt, inmitten aller Aufregung. Von Zeit zu Zeit spähte ich links hinüber und sah ein Lächeln. Es gibt nichts Intimeres als eine Autofahrt zu zweit, durch die Dunkelheit. Eine Welt für sich aus Messing und Chrom und Elektronik, Stoffbezug und menschlicher Haut.

Wir folgten dem LKW jetzt seit zwanzig Minuten. Er fuhr in Richtung Höchst und schien die Richtung nicht geändert zu haben. Ich sprach Kaiser darauf an. »Mir scheint, die sind noch blöder, als ich angenommen habe. Die müssen doch mißtrauisch sein, nachdem ihre beiden Schläger nicht mehr aufgetaucht sind?« – »Hoffen wir, daß die nicht mehr aufgetaucht sind. Und hoffen wir, daß die Herren nicht mißtrauisch geworden sind.« Er sah nachdenklich auf die Mittelspur und verlangsamte das Tempo. »Die sind vermutlich klug genug, sich in die Schwachstellen der Rechtsverfolgung hineinzudenken, wahrscheinlich aber immer noch zu blöd, um das sogenannte schwache Geschlecht richtig einzuschätzen: als das stärkere nämlich...« »Axel 5 an 2«, schnarrte es aus dem Funkgerät. »Sie fahren jetzt in die Industriestraße, rechts. Wir bleiben dran...«

»Idioten, stop, bleibt bloß stehen!« brüllte Kaiser sofort ins Mikrophon. »Bleibt stehen und schaut, in welchen Hof die Kiste abbiegt!«

»Kapiert, kapiert«, war die beleidigte Antwort.

»Warum müssen sich die aufregen, die weiter weg sind«, seufzte Ferdinand und gab Gas.

»Sie biegen ab, sechste Einfahrt links«, kam jetzt die Meldung.

Das Gelände der Spedition war kurz darauf umstellt. Der knurrende Kämmerer hatte sich im Hof hinter einem Sattelschlepper verschanzt und meldete, der Container sei gerade über die Rampe gegangen. »Mit dem Stapler in die Halle. Fünf Leute stehen dabei. Ihr könnt euch langsam mal nähern.«

»Also los«, sagte Ferdinand und lächelte mich an.

Die Scheinwerfer der Polizeiautos trafen sich im Hof. Drei Männer sprangen auf die Rampe, zwei Schatten stieben an ihnen vorbei. Ich sprang aus dem Audi und setzte einem nach. Er rannte in den unbeleuchteten Teil des Hofs, in dem auch der andere verschwunden war. Zehn Meter trennten mich noch von ihm, dann nur noch drei, da stolperte ich. Als ich mich wieder aufgerafft hatte, stand der Kerl mit einem Leitungsrohr in den Händen vor mir.

Langsam ging er auf mich zu, ebenso langsam wich ich zurück. Meine Chance war nur, ihn zum Schlag zu zwingen, das wußte ich. Ich bückte mich leicht, der Kerl holte mit seinem Werkzeug aus und sackte plötzlich zusammen.

Breit grinsend tauchte Ferdinand Kaiser hinter ihm auf und rief: »Los, komm!« Wir liefen in Richtung Lagerhalle. Dort standen die Polizisten in einem Ring, hielten die Gauner fest, und alle starrten wie gebannt auf den Container, der dastand im blendenden Licht...

»Übrigens, damit du nichts Falsches vermutest«, keuchte ich auf den letzten fünfzig Metern, »du hast mir nicht das Leben gerettet!«

»Ich weiß, daß du alleine mit ihm fertiggeworden wärst. Aber ich habe dir doch Arbeit abgenommen!«

»Okay, damit wären wir also quitt?«

»Erst nach einem Abendessen. Und deine Grübchen stehen dir ausgezeichnet.« Kurz vor der Gruppe ging mir fast die Puste aus. Ferdinand blieb rücksichtsvollerweise neben mir stehen. Fünf Männer standen in Handschellen vor uns. Die beiden aus dem Lastwagen, zwei andere, mindestens einsachtzig große Kerle in Arbeitsanzügen und ein gut angezogener Mittfünfziger im blauen Anzug mit Krawatte.

»Zilus«, sagte Ferdinand vernehmlich in das versammelte Schweigen hinein, »hinten im Hof liegt einer mit 'nem Rohr in der Hand und träumt. Weck' ihn auf und bring ihn her. Und Sie«, schnauzte er unvermittelt den Mittfünfziger an, »gehört Ihnen dieser Laden?«

Binzel nickte und fing sofort an zu sprechen, bekam aber nur kurz Gelegenheit dazu. »Sie wissen ganz genau, daß Sie mit Ihrem ganzen Kindergarten hier im Dreck versinken«, sagte Kaiser ruhig. »Was ist in der Kiste?«

Eine dicke Schicht Packmaterial verdeckte noch die Sicht. Bisher war lediglich der Deckel entfernt worden.

»Die Kiste hat einen Transportschaden, wir wollten gerade den Inhalt überprüfen. Dazu sind wir verpflichtet, schon wegen der Versicherung. Die Kiste gehört uns nicht, und drin ist wohl, was auf dem Formular steht – Baumwolle, nehme ich an.«

Ferdinand ging zum Container, wühlte ein bißchen darin und deckte alles wieder zu. Alle anderen, mich eingeschlossen, standen da und harrten der Dinge, die da kommen würden. Er kam zurück, zwinkerte mir zu und riß sich dann an irgendeinem Riemen, wahrscheinlich dem der »situationsbezogenen Sachlichkeit«.

»Ich verhafte Sie«, schnarrte er die sechs bösen Buben an, »wegen Verdachts auf Verstoß gegen das Artenschutzgesetz in mehreren Fällen, Elfenbeinschmuggel, Urkundenfälschung, Sachbeschädigung und schwerer Körperverletzung beziehungsweise deren Anstiftung. Kämmerer«, wandte er sich an den Knurrhahn, »du verteilst die Herren gleichmäßig auf die Wagen und versiegelst das Gebäude. Ich fahre mit Frau von Kadell. Wir treffen uns alle im Präsidium.«

»Und wer schiebt die Autos mit den leergebrannten Batterien an?« fragte ich in die Festbeleuchtung hinein...

»Das machen die Neuen – Lehrzeit«, sagte Ferdinand und grinste so breit wie nie. Dann gingen wir zum Auto.

Er öffnete mir respektvoll die Tür, und ich ließ mich in das nicht allzu weiche Polster fallen. Dann steckte ich mir eine Filterlose an und zog begierig daran. Wir fuhren los und schwiegen eine ziemlich lange Zeit. Ich konnte meine Gedanken von dem Geschehen nicht so lösen, wie ich es gern getan hätte. Und ich fragte mich auch, wann er auf die weiche Stelle in diesem harten Gerüst aus Logik stoßen würde...

»Sag mal«, begann er nachdenklich, »eins ist mir immer noch nicht wirklich klar: Wie bist du in diesen Fall verwickelt worden? Warum war die Schleswig deine Klientin?«

Ich erzählte ihm von Montag, dem 14. Mai, und der Fahrerflucht, von Oliver Weldige und seinem unbeholfenen Versuch, eine schlechte Ehe zu retten.

»Armer Junge«, sagte Ferdinand leise. »Aber du hast doch auch mal angedeutet, auch Weldige selbst würde erpreßt? Und Irene Schleswig wird es doch nicht gewesen sein?«

»Nein, das erschien mir auch nie logisch. Ich habe immer nach einer Verbindung zum Schmuggelgeschäft gesucht und zeitweise auch vermutet, Binzel selbst würde seinen Partner anzapfen und Irene Schleswig vorschieben. Aber es ist noch komplizierter, und ich bin eigentlich nur durch Zufall darauf gekommen.«

»Wieso ist es komplizierter?«

»Libidinöse Verwicklungen«, sagte ich trocken.

»Ach nee...«, sagte er im Dunkeln. Leider konnte ich sein Gesicht nicht sehen. Ich erzählte von der Sekretärin Sylvia Kussner, der hohen, schmalen Statue auf ihrem Schreibtisch und den Linien um ihren Mund. Und davon, daß die Erpresserbriefe so abstrakt gehalten waren, daß nicht nur Weldige völlig im dunkeln tappte, was den Absender anbelangte, sondern sich auch täuschte über den Gegenstand der Erpressung.

»Ich halte es für ziemlich offensichtlich«, schloß ich, »daß die Kussner von der Schmuggelgeschichte wußte – schließlich hatte sie mal ein Verhältnis mit Weldige. Sie hat ihn genußlich zappeln lassen in dem Glauben, die Schmuggelgeschichte würde auffliegen, aber daran war sie gar nicht interessiert. Die Geschichte, die aufhören sollte, war das neue Verhältnis. Es war einfach verletzte Eitelkeit.«

»Klar«, murmelte Ferdinand, »ist ja auch ziemlich peinigend, die Termine nun für die neue Geliebte verschieben zu müssen.«

»Ja, Weldige war da wohl völlig skrupellos. Dabei ein ziemlich charmanter Mann.«

Er schaltete völlig unsinnigerweise in den vierten Gang. »Sie haben wohl überhaupt kein Rechtsgefühl?« schnarrte er unwirsch und würgte den Motor mit der Bremse fast ab.

»Mehr Rechtsgefühl vermutlich, als Sie Gefühl für Motoren, Herr Kaiser.« Wir waren unwillkürlich ins Sie zurückgefallen. »Ich würde übrigens zurückschalten.«

»Wohl ein gutaussehender, soignierter Mann, dieser Dr. Weldige. Graue Schläfen?«

»Nicht zu knapp«, bestätigte ich. Plötzlich sahen wir uns an. »Wo ist der überhaupt?« fragten wir uns wie aus einem Munde.

»Mensch, den müssen wir uns noch holen! Kannst du ihn

beschreiben? Du scheinst ihn ja ziemlich genau in Augenschein genommen zu haben...«

»Für eine Personenbeschreibung reicht es allemal«, grinste ich. Aber das konnte er im Dunkeln nicht erkennen. Er nahm Funkkontakt zum Präsidium auf.

»Gebt mal eine Fahndungsmeldung durch für: Dr. Horst Ulrich Weldige, etwa fünfzig Jahre alt, Leiter des Diakonischen Werkes in Frankfurt, wohnhaft in Frankfurt, Gottfried-Keller-Straße 7. Ihr braucht dort nicht vorbeizufahren, das erledige ich gleich im Anschluß. Aber ihr gebt die Meldung an die Grenzstellen und vor allem an die Flughäfen, sofort. Er muß aufgehalten werden. Ihr kriegt jetzt noch eine Personenbeschreibung – falls er mit falschem Paß durchzukommen versucht.«

Er gab das Gerät an mich weiter und sah mich drohend an. »Und jetzt die Einzelheiten, liebe Ruth Maria. Alle grauen Schläfen...«

»Um die fünfzig, aber jünger aussehend«, spulte ich brav herunter. »Schwarzgrau meliertes Haar, an den Schläfen silbergrau. Sehr gut aussehend, leicht gebräunt. Schmale, silberne Metallbrille. Gut gekleidet. Spricht mehrere Sprachen: Englisch, Französisch, Spanisch, auch Afrikaans, vermutlich alle fließend. Circa einsachtzig groß. Sicheres, gewinnendes Auftreten...«

»Das reicht«, knurrte er leise.

»Blaugraue Augen«, fuhr ich ungerührt fort. »Schlank. Keine besonderen Merkmale.«

Ich gab ihm das Gerät zurück.

»Eddie, hör mal. Ich fahre jetzt mit Frau von Kadell sofort dahin. Wenn wir ihn zu Hause nicht erwischen, zu seinem Büro. Ich komme dann anschließend ins Präsidium. Kämmerer und die anderen sollen schon mal anfangen mit dem üblichen Quatsch, Personalien und so weiter. Mit der Vernehmung warten, bis ich da bin. Ende.«

Wir fuhren mit Vollgas durch die Stadt und sprachen

kaum miteinander, bis auf ein paar Stakkatosätze wie »Ich an seiner Stelle wäre abgehauen.« – »Zu verlieren hat er eigentlich zuviel«, sagte Ferdinand. Pause. »Gerade deswegen, hier ist er völlig ruiniert.« Pause. »Ein Konto in der Schweiz wird er ja wohl haben.« Pause. »Kannst dir sicher sein«, antwortete ich.

»Verfluchte Kurve«, zischte Kaiser durch die Zähne.

»Ich hänge übrigens an meinem Leben«, bemerkte ich. Angst hatte ich eigentlich keine. Kaiser fuhr gut.

»Reg dich nicht auf«, sagte er, »ich lebe auch ganz gern. Ich wette, du würdest noch schneller fahren. Was fährt der Gottesknabe eigentlich für eine Kutsche?« –

»Einen Mercedes natürlich«, antwortete ich, »neu, S-Klasse.« –

»Hast du die Nummer noch?« Ich kramte in meiner Handtasche. Tatsächlich, ich hatte sie einmal notiert, eigentlich nur aus Routinegründen.

»Du bist eine kluge Frau«, sagte Kaiser und griff zum Mikrophon, um die Suche nach dem Kirchenschiff durchzugeben.

»Da vorne, das weiße Haus mit den Büschen davor«, unterbrach ich ihn. Er bremste scharf, und wir stiegen aus.

Es war eine peinliche Szene im Hause Weldige. Wir klingelten rechtzeitig zum Beginn von *Dallas*. Frau Weldige öffnete und schaute uns fragend an. Ich wollte gerade zu reden beginnen, als Ferdinand Kaiser seinen Dienstausweis aus der Tasche zog und ihn Frau Weldige gab. »Kriminalpolizei«, sagte er ruhig. »Ist Ihr Mann zu Hause?«

»Nein«, antwortete sie und schaute mich an. »Sie auch?«

»Nein«, sagte ich, »ich nicht. Wo ist Ihr Mann? Es ist wichtig!«

»Ist etwas passiert... mit Oliver?« fragte Frau Weldige mit angstgeweiteten Augen. Ich schloß daraus, daß Oliver nicht zu Hause war und atmete beruhigt auf.

»Nein«, sagte Kaiser, »wir suchen Ihren Mann.«
»Er ist verreist, aber...«
»Wann?« unterbrach ich sie.
»Ja... äh... um 15 Uhr vielleicht. Er kam nach Hause und sagte, er müsse schnell weg.«
»Wohin?«
»Dienstreise... Marokko, sagte er. Er hat mich vom Büro aus angerufen und gebeten, seine Sachen zu packen.«
Sie schaute uns hilflos an und fragte noch einmal: »Aber was ist denn? Und was haben Sie damit zu tun?«
»Wir brauchen Ihren Mann dringend für eine Zeugenaussage«, log ich und war froh, als ein bißchen Ruhe in ihre Augen trat.
»Ist sein Wagen da?« fragte Kaiser.
»Nein, er stellt ihn für gewöhnlich am Flughafen ab.«
»Entschuldigen Sie, daß wir Sie so spät gestört haben«, sagte Kaiser, und ich war erleichtert, daß er so zum Ende kam – für dieses Mal. Die arme Frau würde noch einiges durchzustehen haben. Ich fühlte mich nicht gerade wohl. Offensichtlich hatte sie uns nicht angelogen.

»Hattest ja ganz schöne Skrupel«, sagte Kaiser zu mir, als wir losgefahren waren.
»Und allen Grund dazu«, gab ich zurück. »Wohin fahren wir jetzt?«
»In sein Büro, wohin sonst?«
»Zeitverschwendung«, warf ich ein. »Er ist doch längst über alle Berge.«
»Aber Pflicht«, sagte Kaiser.
»Siehste, genau das ist es, weshalb ich mich doch lieber als Private betätige. Abgesehen von der Ästhetik der Büros...«
»Was mich jetzt mehr interessiert«, sagte Kaiser ernst: »Woher wußte Weldige, daß er abhauen mußte?«
»Es ist ihm zu heiß geworden, ganz einfach. Die beiden

Schläger waren sicher nicht nur von Binzel auf Irene Schleswig angesetzt, sondern von beiden bösen Buben. Und als sie nicht wieder erschienen sind nach der letzten Aktion, die Schleswig nicht erreichbar war, der Laden heute geschlossen – und er vielleicht noch einen Drohbrief mit Absender Kussner erhalten hatte –, da ist ihm wohl der Boden zu heiß geworden. Ich nehme an, daß er den Absprung vorbereitet hat, seit er die Drohbriefe bekam. Er wußte, daß er mit diesen Geschäften seine bürgerliche Existenz aufs Spiel gesetzt hat, und er wird irgend etwas vorbereitet haben für ›das Leben danach‹. Wahrscheinlich noch dazu mit einer kaffeebraunen Schönen…«

»Trotzdem, trotzdem…«, sinnierte Ferdinand. »Das leuchtet mir nicht völlig ein. Nur so auf Verdacht breche ich doch nicht alle Zelte ab?«

Um 22 Uhr 15 endlich saßen wir im Konferenzsaal des Präsidiums, alle miteinander. Kahle und öde Wände, Plastikkaffeebecher auf der einen Seite des langen, nackten Holztisches mit seinen vielen Macken im kläglichen, hartlackierten Furnier. Auf der anderen Seite saßen die acht verhafteten bösen Buben. Als Ferdinand und ich eintraten, schaute mich die Lederjacke grimmig an, ich streckte ihm die Zunge raus. Ferdinand nahm mich am Arm.

»Hör auf, bei uns wird nicht gefoltert – außer mit der Wahrheit, und die will ich jetzt hören. Schalten Sie das Tonband ein«, sagte er zu Fuchs. Das Tonband lief und surrte deutlich vernehmbar in der Stille.

»Ich mache Sie darauf aufmerksam, daß jede Ihrer Aussagen gegen Sie verwendet werden kann… warum sage ICH das eigentlich? Kämmerer, mach du weiter!«

Und Kämmerer knurrte den ganzen Sermon herunter.

»Wer will zuerst?« fragte Kaiser locker in die Runde. Dann wandte er sich an mich: »Wen willst du zuerst?«

»Na ja«, lächelte ich, »meine Pflicht ist getan, jetzt seid

ihr eigentlich dran. Meine Aussage liegt vor, mich hält nur noch die Neugier auf dem Stuhl. Ich schlage vor, wir beginnen mit Frau Schleswig.«

»Einverstanden.« Kaisers Augen leuchteten. »Wenn du auch meinst, daß die Dame den äußeren Zirkel legen kann. Willst du noch Kaffee?«

»Gern«, sagte ich und flüsterte: »Bei mir gibt's ihn immer frisch gemacht.«

Wir zogen zu viert in ein benachbartes Büro. Irene Schleswig sah mitgenommen aus. Kein Wunder, dachte ich und war doch froh, die zehn großen Scheine schon in der Tasche zu haben, wo sie freundlich knisterten.

»Frau Schleswig«, begann Ferdinand Kaiser abrupt, »woher wußte Ihr Partner, daß er sich absetzen mußte?«

»Ich verstehe nicht?« flüsterte Irene Schleswig entsetzt und riß die Augen weit auf.

»Herr Weldige ist heute nachmittag überraschend verreist«, sagte ich zu ihr.

»Verreist?«

»Ja«, sagte Kaiser grimmig, »allerdings. Und ganz weit weg...«

Schweigend schauten wir Irene Schleswig an und warteten.

»Ich habe doch erst heute mittag mit ihm telefoniert...«, sagte die Lady hilflos.

Mist, dachte ich. Aber Karen traf keine Schuld: sie konnte ja nicht die ganze Zeit daneben sitzen. Und wer hat schon ein abschließbares Telefon?

»Wann?« fragten Kaiser und ich gleichzeitig.

»So um halb zwei«, sagte die Schleswig, immer noch verwirrt.

»Was haben Sie ihm gesagt?«

Pause.

»Ich sagte ihm«, begann sie zögernd, »daß ich keine Lust

mehr hätte, den Namen meines Mannes für seine Geschäfte herzugeben. Nur weil er früher sein Freund war.«

»Frau Schleswig«, herrschte ich sie an, »verkaufen Sie mich nicht für dumm! Was haben Sie ihm gesagt?«

»Ich sagte es bereits.« Sie glaubte anscheinend wirklich, damit durchzukommen.

»Frau Schleswig«, sagte Ferdinand, nun mit äußerst vernehmlicher Stimme, »so nicht! Sie haben doch vor Frau von Kadell bereits ein Geständnis abgelegt!«

»Sie ist keine Polizistin, was will sie überhaupt hier?« fragte Irene Schleswig wild.

»Das lassen Sie mal unsere Sorge sein.«

Kaiser blieb hart und fragte nach einer scheinbaren Ewigkeit des Schweigens: »Sie sind also die Initiatorin dieses netten Geschäfts? Sie sind sozusagen der Chef? Alle Achtung! Die übrigen Verdächtigen im Nebenzimmer werden sich dieser Ansicht sicher gerne anschließen und sie in jeder Einzelheit bestätigen. Ich werde gern der Reihe nach die netten Herren nebenan befragen – es sei denn, Sie hätten zuvor doch noch eine kleine Korrektur anzubringen, Frau Schleswig, und wollten uns erzählen, was Sie Herrn Weldige wirklich am Telefon erzählt haben.«

Das saß ... Irene Schleswig wurde blaß.

Eine kleine Schweigeminute, vermutlich dem Entflohenen gewidmet, war noch nötig. Dann begann sie zaghaft.

»Ich sagte ihm, daß ich von zweien seiner Männer Besuch gehabt hätte, und er sich täuschen müßte mit der Vedächtigung, ich würde ihn erpressen. Er glaubte mir zuerst nicht. Im Laufe des Gesprächs hielt ich ihm vor, daß sein Sohn mich bedroht hätte und mich ermorden wollte.«

Ganz schön dick aufgetragen, dachte ich empört.

»Er fragte mich, woher ich das wüßte. Ich sagte, daß ich eine Privatdetektivin beauftragt hätte, und er schrie mich durchs Telefon an, ob ich verrückt geworden sei, eine Schnüfflerin da hineinzuziehen. Die Schnüfflerin, sagte ich zu ihm, die Detektivin hat mir immerhin deine beiden Schläger vom Hals geschafft! Er wollte, daß ich sie beschreibe. Und dann hängte er ein und sagte, er hätte noch einen dringenden Termin.«

»Paßt wie Zuckerguß«, knurrte Kämmerer, »ich find's langweilig.«

Das Gruppenbild mit Dame schaute ihn entgeistert an, ich kicherte, und schließlich lachten wir alle.

Eine halbe Stunde später lag ich in Konstanzes Gästebett und ließ alles noch einmal Revue passieren. Aber es war eine kurze Show. Ich schlief schnell ein an diesem Abend.

Vom Griechen hatte ich Ferdinand, Gott sei Dank, abgebracht. Ich habe ja Verständnis dafür, daß scin Budgct bcgrenzt ist, aber ich wollte morgen im Flugzeug nicht nach Knoblauch duften müssen. Und außerdem ist die Einrichtung bei Griechen meistens fürchterlich.

Der kleine Spanier in Bornheim ist selten gut besucht, und das hat gute Gründe. Als ich dorthin kam, saß Ferdinand schon an einem kleinen Tisch am Fenster, einen dunklen Rioja vor sich.

»Bist du schon 'ne Stunde hier?« grinste ich zur Begrüßung.

»Wegen des Bedienungstempos?« fragte er zurück.

»Gute Beobachtungsgabe«, lobte ich. »Der Wirt verliert noch mal im Schneckenrennen. Aber die Paella ist gut. Und teuer ist es auch nicht...«

»Soll ich dir meine Scheckkarte zeigen?« lächelte er. »Meine Eltern haben Geld.«

»Und ein Schloß im Rheingau und ein Bauernhaus in der Provence.«

»Nee«, sagte er bedauernd. »Nur eine Autoschlosserei in Saarbrücken.«

»Ach du lieber Gott. Da wolltest du wohl dringend verschwinden?«

»O ja! Und das habe ich ja auch geschafft. Wie ist es denn mit deinen Schlößchen?«

»Nur eins im Oberbayerischen«, sagte ich beschwichtigend. »Und das ist auch nicht allein meins. Aber vielleicht sollten wir, bevor wir ins Detail einsteigen, erst mal die Karte studieren?«

»Lenk bloß nicht ab. Ich bin ein erfolgreicher Mitgiftjäger.«

»Gift kannst du haben«, versprach ich ihm. »Aber du hast recht. Paella ist ohnehin klar, oder hast du was gegen Essen für zwei Personen?«

»Heute nicht. Und zuvor?«

Wir bestellten einen Salat, die unvermeidliche Paella und einen zweiten Rioja. Und dann redeten wir, als hätten wir drei Wochen Sprechverbot gehabt. Wir redeten und lachten. Und als es ernst hätte werden können, kamen die unvermeidlichen Musikanten zur Tür herein und bauten sich drohend auf.

»Daß man aber auch nirgends seine Ruhe hat«, sagte er verzweifelt. »Kann man denn dagegen gar nichts unternehmen?«

»Das mußt du gerade sagen. Gib halt mal deinen Kollegen vom Ordnungsamt einen kleinen Wink. Der Spanier in Bornheim ist in Zukunft in Ruhe zu halten...«

»Da sind wir machtlos. Die Leute bezahlen ja noch dafür.«

»Dann machen wir's doch einfach auch. Vorher eine Viertelstunde Schweigen... wir haben eh schon Bläschen an der Oberlippe.«

Er sah mich ziemlich romantisch an.

»Ruhe halten«, sagte ich burschikoser, als mir zumute war. Ausgerechnet mit einem Polizisten...

»Wie bist du eigentlich zu deinem schönen Beruf gekommen? Von meiner Karriere weißt du ja ohnehin schon alles.«

»Längst nicht genug«, sagte er, »aber das kommt ja sicher noch. – Ich habe Jura studiert.« Ich sah ihn ehrlich entsetzt an.

»Ja, ich weiß«, wehrte er ab. »Keine gute Idee. Aber ein anderes Studium wollten meine Eltern nicht finanzieren. Mein Vater ist ein paarmal übers Ohr gehauen worden und dachte sich wohl, mit einem Rechtsanwalt in der Familie käme das nicht mehr vor. Ich war noch ziemlich jung damals und wußte eh nicht, was ich wollte. Also habe ich in München brav studiert und gebüffelt und das Examen mit Ach und Weh gemacht.«

»Und nebenher Kriminalromane gelesen, zur Entspannung.«

»So wie du vermutlich. Aber so in etwa trifft es des Pudels Kern. Na ja, und eines Abends, beim *Kommissar*, da kam die Erleuchtung über mich... und so wurde ich Polizist.«

»Eine kurze und wahre Geschichte. Aber auch eine schöne?«

»Weißt du, es gefällt mir ganz gut. Natürlich ist der Alltag anders, als man ihn sich vorstellt. Nix mit geheimnisvollen Morden in besseren Kreisen, wo man die Damen in Seidenkleidern in Augenschein nimmt, die den Schwiegervater vergiftet haben. Aber auch wieder ganz ordentlich; bei uns ist 'ne Menge los, und das Klima ist gut. Es kommt sowieso mehr auf die berühmten Kleinigkeiten an als auf alles andere.«

»Das finden die hinter dir auch«, sagte ich leise.

Er drehte sich um und blickte in einen hingehaltenen Hut. »Nun denn«, sagte er und zückte eilig sein Portemonnai. »Die Musik geht auf meine Kosten.«

»Wie auch die Rosen«, warnte ich liebenswürdig.

Er sah mich verständnislos an.

»Gleich wird ein armer Mann in mittleren Jahren das Lokal betreten«, flötete ich vielversprechend, »mit einem Strauß dunkelroter Rosen, in Plastik gewickelt. Er schaut dich mit traurigen Augen an und sagt: ›Sie lieben die Dame doch...?‹

»Und was soll ich dann sagen?«

»Nicht die Wahrheit bitte. Die muß ich immer selbst rausfinden.«

»Wie du willst«, sagte er, »dann wechseln wir mal schnell das Thema.«

Ich war enttäuscht und erleichtert zugleich. Aber das hielt nicht lange vor. Nach dem Mann mit den Rosen, von denen Ferdinand keine einzige erwarb, wurde das Lokal gästelos bis auf uns. Auch die Hintergrundmusik hörte auf. Plötzlich erwacht, sahen wir uns ein bißchen hilflos an.

»Ich würde dich gern nach Hause bringen. Aber noch nicht gleich.«

»Mit einem Polizeiauto? Das verdirbt meinen Ruf!«

»Natürlich nicht. Ich fahre –«

»Natürlich einen roten Golf.«

»Gut recherchiert. Aber mit dem würde ich dich gern zuerst noch woanders hinbringen.«

»Ich würde mich auch gern dorthin fahren lassen«, sagte ich wahrheitsgemäß. »Aber ich muß jetzt eigentlich nach Hause. Mein Flug geht morgen um acht Uhr zehn, und ich habe noch kein Stück gepackt.«

»Gepackt? Was für ein Flug?«

»Ich fliege morgen früh nach Casablanca. Udo hat mich eingeladen.«

Plötzlich war er sehr still. Er zahlte, dann stiegen wir in seinen roten Golf. Vor meiner Haustür machte er den Motor aus.

»Dann viel Spaß in Casablanca«, sagte er bedrückt.

Es war ein bißchen spät für Erklärungen, oder vielleicht auch zu früh. Trotzdem versuchte ich es herzhaft.

»Ich lebe in einer WG, Udo ist einer meiner Wohngenossen. Und auch eine lange Geschichte. Von dieser ganzen Chose ist er ziemlich stark in Mitleidenschaft gezogen worden, wie du ja weißt. Und obwohl ihm noch die Nieren schmerzen, hat er mich charmanterweise eingeladen, zur Auflösung meines ersten großen Falls in Ricks Café einen Gin-Fizz zu trinken. Und so ein Angebot kann ich einfach nicht ausschlagen.«

»Ja, das sehe ich ein. Vielleicht darf ich dich in den Zoo einladen, wenn du wieder da bist. Und auf ein heißes Getränk.«

»Aber sicher darfst du das«, versprach ich ihm sanft. »Auch ein kaltes Getränk danach. Und zu einem Griechen.«

»Und dann zu mir nach Haus. In einen echten Bullenstall.«

Wir gaben uns nicht die Hand. Aber wir gaben uns den Mund.

Ich war ziemlich müde im Flugzeug. Zwei Stunden Schlaf waren einfach nicht genug. Und den Bikini hatte ich natürlich vergessen.

»Wir kaufen dort einen neuen«, tröstete mich Udo. »Casablanca ist berüchtigt für seine Bikini-Mode. Ich brauche auch noch eine Badehose. Mein kariertes Modell ist fürs Ausland bei weitem nicht elegant genug.«

»Apropos Ausland«, sagte ich, »Ferdinand hat mich heute morgen noch angerufen.«

»Hat er schon was erfahren wegen Weldige?« fragte Udo gespannt.

»Allerdings. Weldige ist nicht nach Südamerika oder Afrika abgedüst, wie wir gedacht haben. Statt dessen ist der Herr mit den grauen Schläfen und ebensolchem Anzug auf direktem Wege und allein nach Zürich geflogen. Dort hat er Montagmorgen gewartet, bis die Banken öffneten...«

»Und da hat man ihn geschnappt«, grinste Udo. »Mit grauem Aktenköfferchen in der Hand und einer Menge Schweizer Franken auf dem Konto.«

So wird es wohl gewesen sein. Schweinereien passieren montags.

Kriminalromane

Julie Smith
Ich bin doch keine Superfrau
Band 10210

»Ich bin doch keine Superfrau!« Als Rebecca in diesen Stoßseufzer ausbricht, sitzt sie schon mitten drin im Schlamassel. Und der Hauptverdächtige in ihrem jüngsten Mordfall ist ausgerechnet ihr neuester Liebhaber. In ihrem ersten Roman mit der Detektiv-Heldin Rebecca Schwartz erzählt die Autorin die Geschichte der jungen Anwältin aus San Francisco, die sich für die Prostituiertengruppe HYENA nicht nur mit juristischer Beratung einsetzt.

Maureen Moore
Mit gemischten Gefühlen
Band 10289

Marsha, Studentin und alleinerziehende Mutter, wird im Rahmen eines Praktikums bei der städtischen Mordkommission mit der kruden Realität eines Mordfalles konfrontiert. Marsha ist eine Heldin, die gar nicht erst versucht, durch Imitation männlicher Qualitäten zu imponieren, sondern den Beweis erbringt, daß angeblich weibliche Schwächen, zumindest in dieser Geschichte, zuverlässiger zum Ziel führen.

Fischer Taschenbuch Verlag

fi 1360/1

Kriminalromane

Sue Grafton
Detektivin, Anfang 30, sucht Aufträge
Kinsey-Millhone-Kriminalstories
Band 10208

Kinsey Millhone betreibt das Detektivgewerbe in Santa Teresa, einer kleinen Stadt nördlich von L. A. 32 Jahre jung, zweimal geschieden und Single aus Überzeugung.
In den Geschichten dieses Bandes erzählt die Detektivin mit der dunklen Strubbelmähne von sieben Fällen aus ihrer Praxis – menschlichen Beziehungsgeflechten mit tödlichem Ausgang.

Viola Schatten
Schweinereien passieren montags
Band 10282

Eine Frau räumt auf – als Privatdetektivin im Großstadtdschungel Frankfurts.
Die Ich-Erzählerin ist um die 30, Akademikerin mit ungewöhnlichen Hobbys, reichem erotischem Privatleben und liebevoll chaotischer Lebensführung. Viola Schatten ist ein Pseudonym.

Martine Carton

Medusa und die Grünen Witwen
Band 8023

Nofretete und Die Reisenden einer Kreuzfahrt
Band 8038

Victoria und die Ölscheiche
Band 8067

Apollo und die Gaukler
Band 8068

Martina oder Jan-Kees verliert seinen Kopf
Band 8113

Hera und die Monetenkratzer
Band 8141

Bari Wood und Jack Geasland

Die Unzertrennlichen

»Die Unzertrennlichen« ist ein schockierender, beunruhigender Roman, zu dem eine wahre Begebenheit den Anstoß gab: Am 17. Juli 1975 wurden in einem luxuriösen Apartment in Manhattan zwei Männer tot aufgefunden. Die Untersuchung ergab, daß einer der beiden Tage vor dem anderen gestorben war. Anlaß zu den Sensationsmeldungen aber bot eine weitere Entdekkung: Die Männer waren eineiige Zwillinge und berühmte Gynäkologen. Und ihre Leichen lagen in einem wüsten Durcheinander von Unrat – wochenlang angesammelten leeren Flaschen, verrotteten Essensresten und leeren Tablettenröhren von Aufputsch- und Beruhigungsmitteln. Trotz genauester Untersuchungen der Mordkommission konnte der Fall nie aufgeklärt werden. Dieser Roman, der nach seinem Erscheinen in den USA lange auf den Bestsellerlisten stand und jetzt erfolgreich verfilmt wurde – mit Jeremy Irons in den Rollen der Zwillinge und Genevieve Bujold – gibt eine mögliche Antwort: Schocker und Recherche zugleich.

Roman. Band 8357

Fischer Taschenbuch Verlag

fi 1099 / 1

Audrey Erskine-Lindop

Strich durch die Rechnung

Roman

Während die frühreife, vierzehnjährige Wynne darauf wartet, ob sie als mitschuldig am Tod ihrer Freundin angeklagt wird, erzählt sie die dramatischen Geschehnisse, in die ihre kauzig-skurrile Familie verstrickt ist, seit im Ort ein geheimnisvoller Würger junge Mädchen umbringt. Wynne glaubt zu wissen, wer dieser Mörder ist. Da sie ihn in pubertärer und naiver Unschuld liebt, will sie ihn schützen; beseitigt Beweise, verwischt Spuren und verstrickt sich in Schuld, als ihre beste Freundin das nächste Opfer ist. Aber ihre Lügengespinste und Phantastereien sind schon zu kompliziert, als daß sie nachdenken könnte, und am Ende gerät sie selbst in Gefahr …
Dieses Buch ist eine raffinierte Mischung aus Entwicklungsroman und psychologischem Thriller.

Band 8377

Milieuschilderung und Zeitkritik, aus Komik und Tragik. Ein eindrucksvoller Effekt wird auch durch die Sprache der vierzehnjährigen Wynne erreicht, die diese unheimliche Geschichte erzählt.

Fischer Taschenbuch Verlag

fi 935/1

Kriminalromane

Eine Auswahl

Elisabeth Bowers
Ladies' Night
Band 8383

Simon Brett
Der dreizehnte Killer
Band 8269
Dunkelmänner haben keine Schatten
Band 8183
Komödianten lachen laut und sterben leise
Ein Fall für Charles Paris
Band 8208
Mord stand nicht im Textbuch
Band 8169
Spekulanten spaßen nicht
Ein Fall für Charles Paris
Band 8158

Anthea Cohen
Carmichaels kleines Glück
Band 8232
Carmichaels kleine Listen
Band 8312
Ein nahezu lautloser Tod
Band 8288
Engel tötet man nicht
Band 8209
Tatmotiv Liebe
Band 8270

Alain Demouzon
Bleierner Sommer
Band 8211
Monsieur Abel und der Fall Raguenaud
Band 8188
Mouche
Band 8170

Stanley Ellin
Das Kartenhaus
Band 8114
Die geordnete Welt des Mr. Appleby
Band 8286
Der Tag der Kugel
Band 8295
Tod am Weihnachtsabend
Band 8267

Jan Flieger
Tatort Teufelsauge
Band 8285
Ein tödliches Ultimatum
Band 8317

Klaus Fröba
Wölfe im Blinding
Band 8293

James Grady
Die 6 Tage des Condor. *Band 8116*

Fischer Taschenbuch Verlag

fi 503/7a